U0110332

44 明代

西元1368～1643年 〔注音本〕

全新 吳姐姐講歷史故事

吳涵碧◎著

目錄

【第924篇】

王陽明對竹沈思。

明孝宗弘治元年，王陽明奉父親之命，前往洪都，與諸養和的女兒成親。洞房花燭夜王陽明卻待在鐵柱宮，向道士請教打坐養生之道，害得新娘子獨守空閨，哭了一個晚上。

第二天，岳家的人找到王陽明，發現他正與道士對坐，眞是又好氣又好笑。不過，諸養和這個老丈人倒並沒有責怪王陽明，對這位女婿，諸養和是十二萬分的欣賞，他相信王陽明日後會有一番發展的。

諸養和慈藹的對王陽明說：『打坐當然是極好的養生之道，另外，書法同樣是陶冶性情的良法，所謂靜為躁君，意思就是說唯有內心寧靜才能抵擋煩躁，書法正是把心平靜下來的好方法。』

諸養和認為，王陽明什麼都好，只是年輕不免氣盛，有時難免毛毛躁躁，假如能把狂飆的心沈靜下來，那就更好了。

王陽明一向喜歡書法，聽了岳父的話，立刻點頭答應：『好，我從今天開始勤練書法。』

王陽明有一種執著的特質，對任何事不做則已，一做一定是狂熱的鑽研，一絲不苟，力求完美。於是，王陽明早也寫，晚也寫，整個人都浸在書法之中，整整一年多，他大多數時間在寫字，岳父家藏有數篋上好的棉紙，竟然全被他用光。

這一年多的磨鍊下來，王陽明果然書法大進，把一年前、一年後的作品互相參照，簡直不像出自同一人之手。後來，王陽明曾經對朋友說：『我剛剛學寫字之時，臨摹古人的字帖，僅僅只學得字的外形，後來，舉起毛筆卻不輕易落筆，先要凝思靜慮，在心中凝形，然後再把字的精神表現出來。』

其後，王陽明讀到宋儒程明道所說：『寫字要學習保持敬心。』更深深以爲：『字要寫得好，必須隨時自心上去學習。』王陽明到晚年時，常歡喜對人提起他練字的經過和心得，他說自練字中得到一個啓示，凡事用心才能有成，所以，當時人稱王陽明的學問叫『心學』。

在岳父家待了一年多，直到第二年大雪紛飛之時，他才帶著新娘回到浙江餘姚老家，路過廣信府（今江西上饒），王陽明特地前去拜見大儒婁諒（婁諒的女兒後來嫁給了宸濠，曾經屢次勸宸濠不要造反，宸濠不聽，最後，王陽明打敗了宸濠，婁妃投水而死，宸濠悔之莫及，王陽明厚葬婁妃。）

婁諒見了王陽明胸有大志，談吐不俗，很親切告以宋儒格物致知的方法，並且告訴王陽明，聖賢的確可以由力學而有所成就的。婁諒的這一番話，啓發了王陽明追求聖賢的途徑。

回到餘姚之後，王陽明埋首苦讀，講求宋儒身心修養之道。弘治五年，王陽明二十一歲，在浙江考取了鄉試，便到京師，跟隨父親，準備參加進士科的會試。父親王華發現兒子的舉止神態不同以往，彷彿原本脫韁的野馬被馴服了，變得沈靜、儒雅、斯文，忍不住笑咪咪的說：『嗯，士別三日，刮目相看，我的兒子顯然不一樣了。』

王陽明不好意思的一笑：『昔日放逸，現在知道錯了。』

王陽明雖然外表上比較內斂，骨子裡他還是相當狂傲的。他在鄉試中了舉人，接下來第二年便要參加禮部的會試，按理說來，他應當努力讀書求取功名。但是，他自信滿滿，認爲此乃探囊取物，不用太掛心，因此，他整個心思沈浸於朱子理學之中，他想要研究宋儒格物致知之學。

所謂格物致知，意思是說，窮究事物的道理，充分發揮心智的辨識能力。這番話聽來是玄之又玄，凡事務求甚解的王陽明心想，既然宋儒說過，一草一木都有至高無上的道理，那麼，我不如來做一個實驗，看看格物如何致知。

於是，王陽明邀了一位與他一般好學的朋友，兩個人來到院子裡席地而坐，兩眼盯著竹子，發憤作一次『格物』的工夫。

他們的實驗是藉觀察竹子（格物），以求獲得一些知識（致知）。

他們不說一句話，眼睛就注視著竹子，兩個人愈坐愈睏，愈看愈累，一天下來，腰痠背痛，頭昏腦脹。

王陽明問朋友：『你看出什麼道理來了嗎？』

『沒有，我只想躺下來，明天再試吧！』那朋友打了一個大呵欠。

第二天，兩個年輕人又對著竹子坐了一整天，努力的看，努力的看，

但是，怎麼也看不出其中道理。

第三天情形依舊如此，到了第三天晚上，這一位朋友病倒了。

二人相比較，王陽明的身體其實是比較虛弱的，可是，他一向意志力堅強，他告訴自己：『我的才能好，堅持下去，一定能了解格物致知的道理。』

第四天、第五天，一天一天過去，王陽明不眠不休對著竹子發呆，他實在沒自竹子中悟得任何道理，他是一個誠實的人，他不願意一拍大腿，自欺欺人宣布，他找到竹子的道理，所以，他就繼續這麼耗下去。

一直到了第七天晚上，王陽明發了高燒，『咚』的一聲倒在竹子旁邊，他終於累垮了，家人趕緊去爲他找醫生。

病好之後，王陽明對著竹子，嘆了一口氣：『唉，格了七天竹子，竹子仍是竹子，我仍是我，看來，我無法自竹中找尋聖賢之道了。』

王陽明實驗失敗，卻讓他領悟到如此格物，難成聖賢，王陽明只好放棄研究朱子的學說，把興趣移到文章詩賦，他約同幾位詩友，組織了一個詩社，每天沈醉在詩歌吟詠之中，他似乎變成一個詩人了。

閱讀心得

【第925篇】王陽明二次落第。

王陽明爲了探究格物致知之理，對著竹子，格物格了七天，實在無法致知，於是，他又把興趣轉回詞章之學。

由於王陽明自小便是鄉里知名的天才兒童，眾人對他的禮部會試寄以厚望，他自己也以爲狀元非他莫屬，不料竟然名落孫山。

當時同在京師爲官的浙江人，紛紛前來慰問王華、王陽明父子，宰相李西涯爲了沖淡沈悶尷尬的氣氛，半開玩笑道：『小老弟，你今天不成，來年必為狀元，不如先寫一篇狀元賦。』

『好啊！』自視甚高的王陽明就真的拿出紙筆，毫不猶豫的寫了一篇〈狀元賦〉，文情並茂，彷彿認定了三年以後的狀元一定是他，在座大老們傳觀之後，頻頻讚美：『不得了，不得了，真正是天才，三年之後看你的了。』並且對王華說：『三年之後，這盃狀元酒是討定了。』

王陽明這篇〈狀元賦〉寫得好是真的，不過，大老們心中滋味卻不見得真好。中國人一向認同『滿招損，謙受益』的古訓，王陽明年輕，不曉得人性中嫉妒心理的可怕，大老們的恭維只是面子上做戲，心裡卻像是打翻了醋罐子一般酸，當大老們出了王家，在路上就同時啐了一口：『這個張狂小子，若是三年後得魁，他眼睛裡還有你我嗎？』這份酸性酵素很快

在京師大老之間蔓延開來，所以，三年之後，王陽明由於強烈的遭忌，再次名落孫山。

大老們再次前來慰問，假惺惺一番，語中卻少不了帶著奚落。

王陽明連遭二次打擊，他逐漸了解現實中的殘酷，原來世界上沒有什麼眞正的公平，原來優秀的人不一定就能夠出頭。不過，雖然他滿懷抑鬱，表面上依然瀟灑，並沒有露出任何沮喪的神色。他有一個很要好的朋友，同樣名落孫山。整個人瘦了一圈，同時深以爲恥，難過得不肯出門見人。王陽明反過來安慰朋友：『世人皆以不登第爲恥，我獨以不登第而動心爲恥。』這一席話傳了出去，許多人忍不住誇獎：『王陽明畢竟是王陽明，氣魄如此雄偉，卻又如此狂傲。』

話雖如此說，功名無成，聖賢之途又不得其門而入，王陽明內心的挫折感好深好深，紛紛亂亂的心情，簡直不知如何安定下來。於是，他又拿起了《朱熹文集》細細的讀，有一天，他偶然讀到朱熹上宋光宗的奏疏：『居敬持志，爲讀書之本，循序致精，爲讀書之法。』王陽明突然悔悟，對了，讀書還是應當按部就班循序以進。

因此，王陽明又開始乖乖的重讀《論語》、《孟子》、《大學》、《中庸》，細心的玩味孔子孟子的原意。

明孝宗弘治十二年，王陽明二十八歲，第三度參加禮部會試，終於榮登金榜，欽賜二甲進士出身第七名。從小到大，王陽明總是拿第一，人人都說，王華是狀元，有其父必有其子，王陽明一定也是狀元，經歷了二次落榜，王陽明早就醒悟，考場之中難以論英雄。因此，雖然沒有考上狀元，他還是歡天喜地，到底，他開始有機會參與實際政務了，他可要摩拳擦掌大幹一番，他先是擔任工部觀政，不久，轉爲刑部主事。

這一段時期，邊疆接二連三出了事，王陽明一向關心軍事，年少之時還曾經實地考察過，於是，他勇敢的上了一封『陳言邊務說』，十分坦率的指陳問題的癥結所在，並且提出了八項非常具體的建議，他滿腔熱血，以國家興亡爲己任，結果朝廷不予採納且不論，甚至於差一點直言惹禍，因爲他一開頭便老實不客氣的批評：『現在最大的問題在於一些大臣，外頭享有老成持重之名望，其實，一天到晚想著如何保持祿位，如何博取上面的寵愛，對內互相攀結利益，對外招權納賄，因循又苟且，最後終於會衰耗頹塌，不可支持。』

王陽明痛言中國官場的弊病，他講的全是事實，可是，言詞如此激烈，下筆如此不留情面，那些個身居高位的大官們感覺到王陽明簡直就在罵他們，王陽明這個小子太可惡了，豈能容許這個小子得意，所以，這個忠心報國的奏章，不但沒有讓王陽明施展抱負，反而嚴重的影響了王陽明日後的仕途發展。

閱讀心得

【第926篇】

王陽明不適應官場文化。

由於王陽明痛言官場弊病，朝廷裡，王陽明成爲了被議論的人物，當然，諷刺的人多，讚賞的人少。

於是，有人建議：『這個少年人勇於任事，想必是個負責之人，不如，派他去督造威寧伯王越之墓，這可是大事一件。』

王陽明一心匡正國事，希望成聖成賢，現在居然派他去當修墳墓的監工，乍聽之下，他實在是嚥不下這一口氣，很想斷然回絕，繼而深思，一來，朝廷有令，不得拒絕。二來，他有這份自信，做什麼事像什麼事，而且會一本敬謹原則來完成任務。

於是，王陽明欣然前往修墳，他拿出統馭部隊的辦法指揮工匠，並且按時工作，按時休息，有獎有懲，完全是一套制度化的管理。

按修墳，雖是小事，畢竟也是工程一件，畢竟也是一大肥缺，歷來凡是與工程有關者，總得撈上一筆，這已是不成文的慣例了。但是，以王陽明剛正不阿的個性，他是不屑於貪撈油水的。

通常監工的人不把工匠當個人看，總是差遣工匠做自己私人的事，甚且暗中扣錢以飽私囊。工匠也有工匠玩花樣的辦法，他們通常是偷工減料，把挪出來的用料拿去變賣，至於說品質低劣，那就不是他們關心的事了。

工匠們從來沒有見過王陽明這般的官員，他不擺架子，親切又和善，但是，溫和中又透著莊嚴，讓人不敢侵犯，王陽明與工匠們一塊吃大鍋飯，用軍事化方式帶領大家。

在這種狀況下，一座巍峨壯麗的墓園很快的興建完成了，比預定時間還提早了一個月，這可是從來沒有過的事。

威寧伯的家人喜出望外，尤其聽說了王陽明廉潔的種種，更是感激莫名，中國人一向認爲，祖先的墓庇護後代，如今威寧伯的墓不但風水好，又修得極爲堅實壯觀，後代子孫興旺可期，因此，他們家人執意送來大批金帛，王陽明自然是不收。

『那麼，這一把寶劍乃是威寧伯生前佩帶之物，可否留下來當成紀念？』威寧伯的家人懇切的說道。

『好吧！』王陽明見那寶劍又古又舊，也就欣然留下來當紀念，工匠們報以熱烈的掌聲，他們從來沒見過如此廉潔的官員。

修墓之後，王陽明又陸續的接了一些卑微繁瑣的小事，他滿腹經綸完全用不上，內心十分的鬱悶。

有人建議王陽明，假如想往上爬，必須結交權貴，王陽明不想做大官，卻希望有做大事的機會，在朝廷做官，如果不認識一些權貴，眞的什麼大事也落不到頭上來。

在京師，王陽明有一個叫黃孚的同鄉，雖然官位只是吏部郎中（郎中

是官名，官階爲正五品，屬於中級官員），但是爲人十分圓熟，有交際手腕，結識不少達官貴人。王陽明對這位鄉長的長袖善舞，很不欣賞，所以平日甚少往來，雖然黃孚數次邀請王陽明飲宴，王陽明都推辭不去，有一次，黃孚又來邀約，王陽明覺得不能每次都推掉，於是答應赴約。

這一天晚上，黃孚請了一桌客人，多是浙江人，在京爲官，官位不及黃孚。

在虛假的推讓之後，客人入了座，王陽明被推爲首席。

『黃大人爲人豪爽，在京師廣結人緣，眞讓我們佩服。』留著山羊鬍子的鄧啓搶先拍馬屁。

『嗯，好說，好說。』黃孚微笑的點頭。這時佣人端上魚翅羹，爲大家分好每人一碗。

『黃大人，魚翅要加點醋，味道更美。』像猴子般的劉義手中拿著醋罐子，跑到黃孚身旁，殷勤的爲黃孚加醋。

『不錯。』黃孚吃了一口，點頭道：『原來你很懂美食。』

『豈敢，是黃大人府上的佳肴味美，我要謝謝黃大人的賜宴啊。』劉義諂媚的笑著。

接著端上來的是乾燒明蝦，大盤一端上桌，慣於彎腰的張丕立刻站到了黃孚身旁，低聲的說：『這蝦帶殼，我來替黃大人剝蝦。』

黃孚也不客氣，把張丕剝好的蝦放入口裡，慢慢品嚐，張丕這才躬著身子回到自己的座位。

『黃大人，』像個小老頭一般的趙木元站了起來，『我經常蒙黃大人照顧，心裡萬分感激，我乾一杯表示敬意，還請黃大人以後多多提拔。』說完，必恭必敬的端起酒杯，一飲而盡。

一桌客人紛紛同黃孚敬酒，更有人搶著向黃孚獻殷勤，只有王陽明僅僅同黃孚舉杯一次，一句恭維的話也沒說，黃孚有些不悅，當他見到佣人捧來了瓜果，故意點一下王陽明：『守仁，最近的瓜特別甜，可惜子是多了點。』他是在暗示王陽明可以爲他剔除瓜子。

王陽明裝著不懂，不過，乾乾瘦瘦的陳吾全一步向前搶過了瓜，非常仔細的挑乾淨每一粒瓜子兒，然後萬分恭敬的呈獻給黃孚，長長一作揖道：『請黃大人賞用。』

這一頓飯吃下來，王陽明真正是如坐針氈，他心想，小小一個郎中，不過與當朝權貴有點交情，這些讀書人就如此費心巴結，如果真要來了一個大官，還不曉得這些人如何醜態百出，莫非中國官場素來只用奴才不用人才。

王陽明覺得自己一肚皮不合時宜。

閱讀心得

【第927篇】王陽明聲援戴銑。

王陽明既憂心國事，又挑燈苦讀，一向體質不好的他終於病倒了，並且患的是麻煩的肺病。弘治十五年，王陽明請假還鄉養病，時年三十一歲。

回到浙江餘姚，他築室於陽明洞，很想脫離塵世，當一名道士。可是，擺脫不掉家人的感情牽掛，只好打消當道士的念頭，轉往西湖養病，清心寡慾，打坐調息，經過了兩年的靜養，總算病情好轉，他就又回到京師，擔任兵部主事。

王陽明養病期間，每天面對湖光山色，自然心情開朗，反正一切眼不見心不煩，回到了名疆利場的京城，看到官員們爭寵的醜態，不免心情又變得灰暗。

幸而王陽明在這個時候，遇到了湛若水，兩個人一見如故，結爲知己。湛若水是當時有名的學者，他原無意於仕途，只因母命難違，考取了進士，擔任翰林院編修。

王陽明與湛若水都有一個共同的體認，那就是京師的士大夫只知詞章記誦，彷彿在比賽記憶力，卻忘記儒家的精神在聖賢之學，兩人遂在京師召募學生講學，因爲他二人學問好，口才佳，一時之間，吸引了不少有志青年前來拜師。

這段期間，王陽明儘管官場不如意，卻在教導學生之中，得到相當大的滿足。

可惜好景不常，明孝宗青壯之年突然崩逝，明武宗正德皇帝即位。明武宗是個風流頑童，旁的不會，只會聲色犬馬，民間故事中調戲李鳳姐，在梅龍鎮上喝酒的就是他。武宗在太子時代便重用劉瑾、馬永成等八大太監，人稱之爲八虎，其中以劉瑾最爲狡獪。

劉瑾把少不更事的武宗玩弄於股掌之間，帶著他玩雜耍、逛宮市、扮商人、逗虎豹，日日夜夜浸泡於醇酒美人之中。可想而知，關心國事的王陽明，每聽到一件明武宗的荒唐事，就會感到一陣憂傷憤怒。

明孝宗很了解太子武宗的性情，曾經拉著劉健、謝遷的手，老淚縱橫道：『東宮年輕好逸樂，請輔以正道，使成明主。』劉健、謝遷雖然努力規勸武宗，奈何不聽就是不聽，王陽明幾次按捺不住，想要上書，想了又想，還是對劉、謝寄以厚望，暫且忍耐。

劉瑾用各種雜耍，例如盤桿子、三上吊、猴兒騎車等拴住了明武宗的心。有一天，武宗正在欣賞大鋸活人之時，劉瑾故意趁這個時候，搬來大批奏章，要求武宗馬上批閱，武宗氣得把奏章一推：『又來掃興，上次我在賣布時也是如此，不曉得用你們做什麼，一而再再而三的煩朕。』

從此以後，劉瑾開始獨斷獨行，大學士劉健、謝遷等也就這樣被趕出了朝廷。南京六科給事中戴銑上書為劉、謝說情，卻被劉瑾以假傳聖旨逮

捕，關入錦衣衛大刑伺候。

王陽明一向具有澎湃的正義感，戴銑做的事，正是他所想做的，因此，他不顧一切的寫了一篇奏章，說明戴銑是『言官』（即監察官），糾舉奸邪，維護正義乃是言官的責任，希望明武宗能夠追回前道聖旨，讓戴銑等仍然能夠擔任舊職，以表現皇上大公無私的仁心，也表示皇上知過能改的胸懷。

當然，這道奏疏明武宗既看不著，也沒有興趣看，劉瑾看到，氣得頭頂冒煙，陰險的笑道：『這個小子不怕死，也罷，捉來與戴銑一般受刑。』

就這樣，弱不禁風、肺病纏身的王陽明被毒打了四十大板，這種刑罰，稱之爲『廷杖』，始於明太祖洪武八年，中國古代，一向不刑上大夫，朱元璋得到天下以後，唯恐朝臣們不夠忠實，使用廷杖來恐嚇鎮壓、折辱士氣，使得士大夫在血肉模糊之中，個個被訓練得俯首貼耳。

戴銑因爲被打得太重，沒過多久一命嗚呼，王陽明同樣被打得遍體鱗傷，他一聲也沒哼，只是痛得數度昏厥。這一頓棍子挨下來，打得王陽明痛徹心扉，但仍保持頭腦清醒，他知道自己是對的，就算這一回活活被打死，他也無怨無悔。

以王楊明一個肺病剛剛痊癒的虛弱身體，屁股被打得皮開肉綻，不時滲出血水，竟然還留了一口氣在，實在像是奇蹟一般，除了王陽明之外，李光翰、葛浩、任惠等二十一人，或獨自上奏章，或聯名上疏，全部逮捕，各打三十大板屁股，比王陽明少了十板。

閱讀心得

【第928篇】

王陽明『難纏』。

明武宗時，太監劉瑾當道，朝廷之中正人君子紛紛上諫，劉瑾皆以廷杖伺候。

除了王陽明之外，遭遇最慘的人是蔣欽，蔣欽是弘治九年進士，擔任南京御史。正德元年，當劉瑾趕走大學士劉健、謝遷，蔣欽當場直言上諫，明武宗反正無所謂，左耳進右耳出，劉瑾可受不了，以皇帝名義，速捕蔣欽，結結棍棍打了三十大板，並且把蔣欽貶爲平民百姓。

蔣欽搗著打爛的屁股，居然又寫了一道奏章，批評劉瑾『不過是一個小小的宦官，陛下居然視之爲心腹，舉國皆爲之寒心！』

武宗沒有看見蔣欽的奏章，劉瑾卻看了，把蔣欽再抓來，又是一陣毒打，打得血肉模糊，站都站不起來。沒有料到，過了三天，蔣欽又上奏章。

那天深夜，當蔣欽在昏暗的油燈之下寫奏章時，突然聽到身後有類似哀叫的聲音。他回頭一看，黑暗之中什麼也看不到，於是繼續握筆，又聽到那鬼哭神嚎的聲音。他想，也許是蔣家的祖先在暗中顯靈，勸他停筆。可是，蔣欽不爲所動，他對空長長一揖道：『蔣欽我無法緘默，死就死，這篇奏章可不許更動。』

第二天，他的奏章上去，可想而知，蔣欽第三次被打，打完之後三天死於獄中。

不論蔣欽、王陽明都是專制政治之下的犧牲品。

王陽明一向體質虛弱，由於他是劉瑾心目中頭號敵人，因此，旁人只打三十大板，王陽明特別『優惠』，打了整整四十大板，直打得不成人形，不過，居然沒有死，人還活著。

王陽明不但挨了打，並且丟了官，兵部主事的官帽被摘了下來，謫為貴州龍場驛丞。所謂驛，明代各府州縣均設有驛站，提供給洽公官員住宿與傳遞文書，當然，若是重要的交通樞紐，房舍考究，交通工具一應俱全。至於貴州龍場驛，連地圖上都找不到的不毛之地，其殘破荒涼可想而知。

聽説王陽明被謫爲龍場驛丞，了解他忠直者，無不爲他一哭，可是劉瑾依然不放過，他恨恨的説道：『王守仁這個小子眞是難纏，老是拿什麼孔孟的道理來教訓人，簡直不通人情世故，瞧他那弱不禁風的模樣，竟然挺過了四十大板，所以，龍場驛那一個鬼地方，不見得能夠要了他的命，不如，派一個刺客，在半途之中，悄悄的收拾了他，免得將來留下一個禍根。』

這四十大板下來，王陽明屁股全爛了，癱在床上不能動彈。肺病又復發了，終日咳嗽、哮喘，不時的咳出濃痰血絲，肺病最忌諱生氣，他即使修養再好，又怎麼可能不動氣？他在床上躺了好一陣子，劉瑾不斷的、不

斷的派人催促，最後，他只好在正德二年被迫的踏上旅途。

在此之前，王陽明的父親王華，也因爲不擅長奉承，被劉瑾勒令提早退休，回到浙江餘姚。王陽明思家心切，在前往龍場驛之前，特地繞道回家鄉，拜見家人。

父子相見，眞正有恍如隔世之嘆，王華定定的望著王陽明：『孩兒，你做得沒錯，此後，多多珍重。』說著，王華喉嚨梗塞，講不下去了。

王陽明離情依依，奈何皇命難違，不得不告別。

剛出家門，王陽明立刻驚覺，有可疑的人跟蹤，他猜想那必定是劉瑾派來的。出了城門，來到郊外，突的，樹林中竄出一個蒙面黑衣人，雙手舉劍，朝著王陽明腦袋劈下來，虧得王陽明早有準備，喀嚓一聲，用長棍搠倒黑衣人，黑衣人手一鬆，長劍落地，落荒而逃。若不是王陽明學過幾手，這一回早就丟了性命。

以後一路之上，靠得王陽明身手矯健，三番二次躲過了刺客的追擊，他知道，刺客不達到目的絕不干休，但他自幼以聖賢自許，若是沒頭沒腦在半途之中，遭到刺客殺害，那眞是死得不明不白，這樣死掉，實在太不值得，王陽明一向不輕易向惡勢力低頭，他要設法度過被刺殺的難關，或許這正是劉瑾批評他難纏的道理。

王陽明急著趕路，刺客尾追不捨，來到了錢塘江邊，王陽明心生一計，他一個箭步，竄入江邊的叢林之中，刺客不敢輕易的進入叢林，只好在森林邊等候。到了夜晚，王陽明搬來一塊大石頭，撲通一聲，假裝投江自盡，並且把衣帽投入江中，衣帽很輕，當然會浮在水面上，同時衣袋中藏有遺詩：『百年臣子悲何極，夜夜江濤泣子胥。』

閱讀心得

【第929篇】

王陽明唬住老虎。

王陽明被貶到貴州龍場驛，但是，劉瑾仍然不放過他，派出刺客在途中暗殺王陽明。機警的王陽明假裝投江，同時留下遺詩：『百年臣子悲何極，夜夜江濤泣子胥。』刺客在黑夜中只聽到重物落水聲，也不知發生什麼事。第二天一大早，有人見到王陽明的衣帽，正漂浮在水面上，而且有遺詩，只是打撈不到屍首。附近的官員與百姓趕過來看，都以爲王陽明效法屈原投江而死。

錢塘知縣楊孟瑛特赴江邊弔祭，悲哀得說不出話來，並且向大家解釋：『王守仁這一首詩是以伍子胥自比。』

想當年伍子胥協助吳國打敗越國，越王勾踐請求和解，吳王夫差答應了，伍子胥堅決反對，許多小人進讒言，離間子胥與夫差，夫差果然信了讒言，賜以寶劍命子胥自殺。

伍子胥一片忠心，落此下場，悲痛的對家人說：『請在我的墳墓上種植樟樹，將來好做爲吳王棺木之用，請把我的眼睛挖下來，懸掛在東門之上，我好親自看到越國的軍隊前來滅吳。』說完，自刎而死。吳王聽說了伍子胥的遺言，氣得命人用一個皮囊裝了伍子胥的屍體，投入江中，吳國的百姓很同情伍子胥，便在江邊爲子胥建立了祠堂。

楊孟瑛講完了這一段典故，許多人都忍不住哭了，這時，王陽明的父親也率領家人前來祭拜，場面十分哀戚。

王陽明可以想見父親的悲痛，但是，他沒法回家，他成爲一個亡命之徒，天地之大，竟無他可以容身之處。

王陽明茫茫然往前走，來到一個江邊碼頭，碼頭上停靠一艘商船，正準備開航，他就跳上船，也不問開往何處，只求隨遇而安吧。

王陽明在船艙裡，閉上眼睛，準備好好的休息一下，這些日子的奔波，一向孱弱的身子實在是吃不消了，也不曉得過了多久，船身忽然搖晃起來，而且晃動的情形愈來愈厲害了。船伕告訴王陽明，這是遇到了颱風。

狂風暴雨萬馬奔騰，實在讓人害怕，巨浪翻滾，船在海面上忽而被捲上天，忽而被摔下地，王陽明在船中早已昏暈欲嘔，他想，莫非老天爺也在幫劉瑾懲罰他，要結束他的生命嗎？

老天爺終究是公正的，祂不能讓一個有智慧、有正義的人就此葬身魚腹，經過了一天一夜的風雨，終於風停雨歇，這條船竟然完整無恙，又走了二天，船靠上了福建的海岸。

拖著疲憊的身子，王陽明登上了陸地，抬頭望著遠處的山巒，有一種茫然的感覺，邁開沈重的步履，竟不知身歸何處。

王陽明又累又餓，身心俱疲，他覺得膝蓋是軟的，他不是在走路，而是勉強的拖著步伐往前行進。天色漸漸暗了下來，四周卻杳無人煙，怎麼

文

辦呢？幸而前頭發現了一古寺，王陽明興奮的前去叩門。

『扣扣扣』，王陽明敲了半天門，終於寺門開了，出現一個乾乾瘦瘦、皺著眉頭的老僧。

王陽明禮貌的一鞠躬：『拜見師父，可否借住一宿？』

『不可以。』

老和尚眉頭皺得更緊，『啞』的一聲，把門給關上了。

王陽明吃了閉門羹，歎了一口氣，無可奈何繼續走。終於讓他找到一座破破爛爛的廟。他實在累到了極點，倚著香案就呼呼睡著了。

到了半夜，破廟中竟然進來了一隻老虎。

老虎發現香案旁有個人，開始大吼，這一吼聲聞數里。但是，王陽明眞是累壞了，終於有個機會可以平平安安的闔眼，因此，老虎在旁，他竟然充耳不聞，繼續睡覺，並且打呼。

王陽明的鎭定，可把老虎給唬住了，老虎一定是猜想，此人不好惹，所以又吼了幾聲之後，就離開了破廟。王陽明渾然不覺，繼續睡他的大頭覺。

其實，這個破廟裡是有個和尚，他住在後廳，半夜裡聽到老虎在前殿的吼聲，嚇得不敢動，等到天亮了，才放大膽子到前殿，很驚訝的發現王陽明不但沒被老虎吃掉，反而正在呼呼大睡，睡得還挺香的，不由得驚歎道：『此公必非常人，否則豈能安然無恙乎？』

於是，和尚等到王陽明醒來，好心的端了一碗熱粥讓他充飢，並且對他說：『寺中有位異人，也許他想見見你。』

王陽明一見異人，雙方都驚呆了，原來這位異人不是別人，正是二十年前，當王陽明十七歲時，在江西鐵柱宮教他打坐、讓他忘了洞房花燭夜的那位道士，正是人生何處不相逢，一切是如此的戲劇化。

於是，王陽明娓娓道來別後種種，道士只是微微點頭，不過，神色之中，似乎也洞悉一切。

最後，當王陽明表示，今後將『浪跡天涯，遠離世俗，也當個道士』，時道士卻搖搖頭，不以爲然道：『萬一被劉瑾發現，必然牽累尊翁。』

一聽此話，向來心軟的王陽明立刻打消了逃亡的念頭，決心赴湯蹈

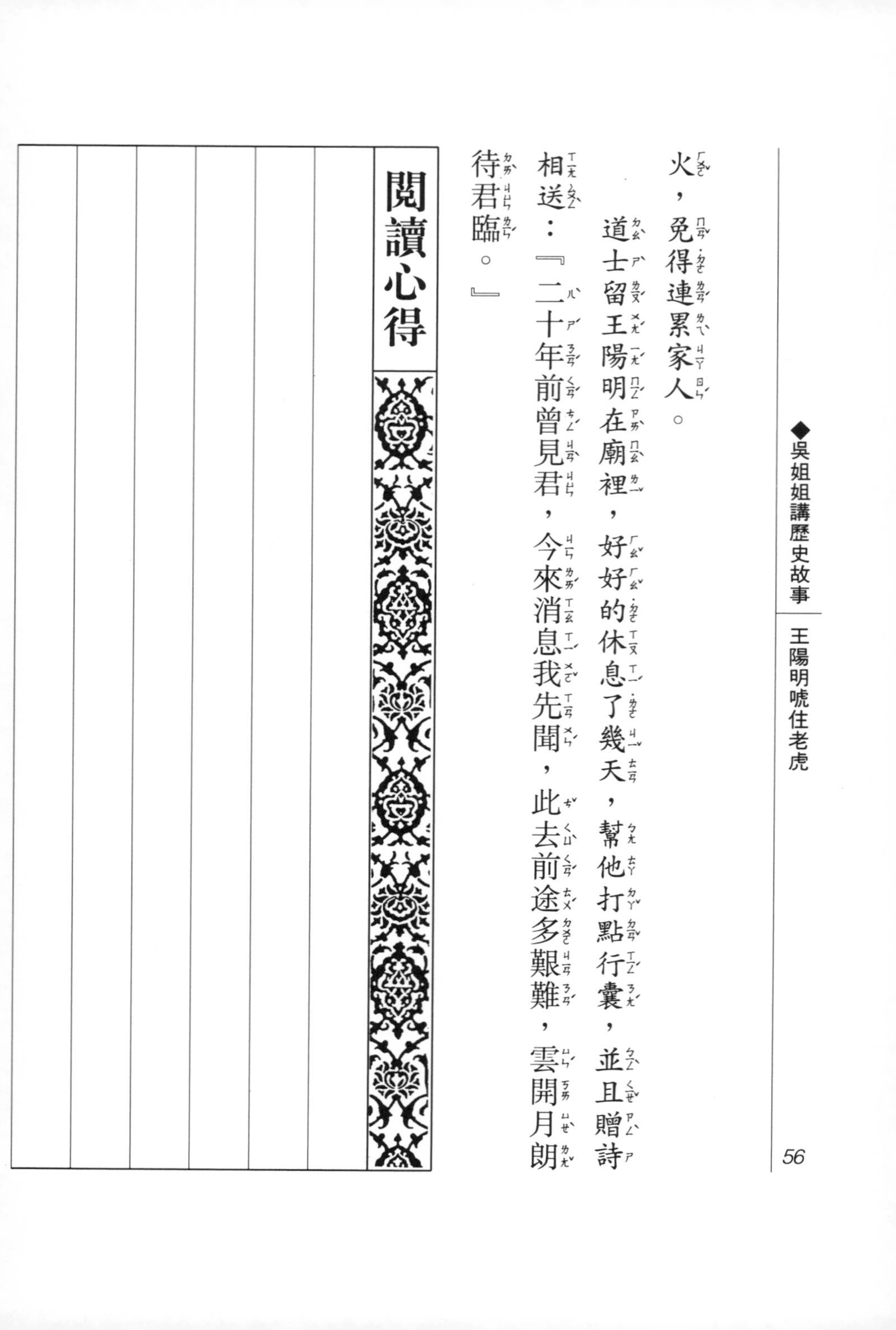

火，免得連累家人。

道士留王陽明在廟裡，好好的休息了幾天，幫他打點行囊，並且贈詩相送：『二十年前曾見君，今來消息我先聞，此去前途多艱難，雲開月朗待君臨。』

閱讀心得

【第930篇】王陽明『復活』。

劉瑾派出刺客，企圖暗殺王陽明。王陽明假裝投水，留下遺詩。原準備自此隱居山中，求仙求道，過寧靜淡泊、不問世事的生活，但是，偶然又遇當初教他打坐的道士，道士提醒王陽明：『萬一被人發現，連累尊翁該如何是好？』

一聽此話，王陽明全身熱騰騰、火辣辣，他曉得劉瑾手段之殘酷，也明白劉瑾假如知道他尚在人間，那麼必然遷怒父親王華，因此，他立刻斷了浪跡天涯的打算，準備還是乖乖赴龍場驛報到。

假如王陽明沒有再遇老道士，他一定也成爲一個道士，那麼歷史上也就沒有王陽明這個人物流傳至今，人生的遭遇實在是奇妙啊，冥冥之中似乎有天意。

王陽明拜別了老道士，執手相握，不勝依依，他問老道士：『下一回，我們何時再相見？』

老道士笑笑回答：『有緣千里來相會。』

王陽明心中對老道士有說不出的感激，他連遭打擊，對人生幾近失望，就在心情最灰惡的時候，他鄉遇故知，又遇到老道士，他什麼話都不必多說，老道士用誠懇的眼光一掃，似乎完全了解他的委屈、他的憤慨、

他的善良，王陽明覺得整個人暖烘烘的，充滿了愛的溫情。王陽明再次確定，他的一切作爲是正確的，雖然正確正義的事不見得會得到好的結果。

他回到故鄉浙江餘姚，此時錢塘江已結冰，大雪紛飛，他心情千百種糾纏，寫下一首詩：

危棧斷我前，猛虎尾我後。

倒崖落我左，絕壑臨我右。

我足履荊榛，雨雪更紛驟。

王陽明回想這段日子的奇遇，自我解嘲道：『什麼奇怪的事全遇上了，竟然還能活到現在，大概是命不該絕吧。』

他回到家中，發現家人正擺著香案在祭奠他，王陽明的突然出現，他的父親王華先是以爲見了鬼，等到摸摸王陽明的臉是熱熱的，忍不住抱著他大哭特哭。

這一哭，哭得驚天動地，王陽明八十多歲的老祖母聽到消息趕了過來，王陽明投入了祖母的懷中，祖孫二人激動萬分。

祖母擦乾了眼淚，不斷的說：『回來就好，回來就好。』

王陽明回答：『孩孫還是得赴龍場驛。』

老祖母哽咽道：『前些時，聽說你的死訊，我不斷安慰自己，死了也好，死了就不要去龍場驛受活罪。現在你回來了，又得去那個鬼地方，我不曉得該哭還是該笑。』

王華說：『當然該笑，人活著，就有希望，留得青山在，就是力量。』

老祖母依然心疼：『我聽說那是一個雞不生蛋、鳥不拉屎的人間地獄，天無三日晴，地無三里平，人無三兩銀，我捨不得我的乖孫去受苦。』說著，老祖母又淚流不止。

王陽明心如刀割，但是扮著笑臉安慰祖母：『奶奶，別擔心，連老虎都被我唬住了。』

接著，他繪聲繪影描述野廟遇虎的經歷，並且告訴父親，如何又巧遇白眉毛、白頭髮、白鬍子的老道士。

王華長嘆一聲：『我真該謝謝這位老道人，否則我將失去一個好兒子。』

王陽明在家中盤桓數日，充分的享受了久違的天倫之樂，最後不得不走了，這一年是正德二年十月中旬，他取道江西、湖南，直往貴州，他不曉得命運之神會如何安排。

正德三年初夏，他終於到了貴州龍場驛。

貴州已經是窮鄉僻壤不毛之地，龍場更可怕，位於一大片連綿的荒山之中，王陽明倒抽了一口冷氣：『這眞是連峰際天，飛鳥不通。』到處都是蠱毒瘴癘，處處皆是蛇虺狐鼠。腳一踩下去，就不知道會蹦出什麼怪物。

王陽明不曉得龍場驛在哪兒，想問路，當地苗傜咿咿啞啞，互相語言不通，雞同鴨講。

好不容易找到一個會講漢語的，竟然告訴王陽明：『這兒就是龍場，不過，沒聽說過什麼龍場驛。』敢情劉瑾做得眞絕，這不毛之地原先根本沒有驛站，有心置王陽明於死地。

王陽明的眼淚在眼眶之中打轉，眞是『人生至此，天道寧論。』天底下哪還有什麼公道可言。

他勉強平靜下來，找了一塊石頭，閉目打坐，恢復精神，理清思緒，彷彿見到老道人在爲他打氣，他緩緩的站了起來，展露微笑，剛復活的王陽明又開始了生死之搏鬥。

閱讀心得

【第931篇】

王陽明『悟道』。

王陽明得罪了宦官劉瑾，被貶到貴州龍場。他一路忍受風霜雨露，攀登懸崖峭壁，越過無數山頂，筋骨疲憊，飢餓暈眩，終於到達龍場，發現這是一個草長及肩、滿地毒蛇的荒蕪恐怖之地。

王陽明的僕從一路抱怨，長吁短歎，這會兒更緊張得大呼小叫：『奇怪，怎麼空中有一股怪味。』

當地的翻譯人員解釋道：『喔，這是瘴氣嘛，瘴氣就是山林裡濕熱蒸鬱的一股氣，容易讓人生病。』

『天啊！』僕役一聽，整個人立刻崩潰，應聲而倒，馬上就病了，而且病得不輕。

王陽明的身體一向孱弱，又有肺病，又被劉瑾打傷了屁股，他卻在此時發揮了潛力。親自打水，沾濕了毛巾，爲僕役洗臉，並且溫柔的坐在僕役旁邊，輕輕的哼起了家鄉小調。

其他隨從聽著歌聲，想起遙遠的家鄉，忍不住嚶嚶的哭了起來，有人甚且嚷道：『我一定是在作夢，夢到來到這麼一個可怕的原始世界。』

王陽明拍拍他的肩，淡淡一笑道：『別這樣，既來之，則安之，快，我們一起來建一個草棚，不然，晚上睡覺都沒地方。』說著，王陽明捲起

了衣袖，掄起斧頭伐木。

長期跟在王陽明身邊的小廝忍不住霍的一下站了起來：『這不公平，不公平，太不公平了，老爺一向盡忠朝廷，什麼過錯也沒犯，卻被貶到這個鬼地方來，還得做粗活，我想，我們全都會死在這裡。』他哽咽的哭著控訴，沒多久，頭暈、噁心、想吐，頭一歪，也倒了下來。

王陽明輕輕的歎了一口氣，溫和的拍著小廝的肩：『抱怨也沒有用啊。』

眾人七手八腳的搭建了幾個低矮的草棚，剛剛建好，天上颳起了風，頃刻之間，烏雲籠罩，傾盆大雨，大夥躲在草棚裡避雨，王陽明笑咪咪道：『幸虧我們早一步動手。』

一個隨從哭喪著臉道：『老爺竟然還笑得出來。』

『不然，怎麼辦呢？總不能一直哭啊，我們還是來唱歌吧。』王陽明又哼起了家鄉小調，他的聲音充滿了感情，又有磁性，大家都聽得入神，暫時忘記了身處蠻荒世界的悲哀。

沒多久，雨停了，大夥揉揉肚子，飢腸轆轆，已經太久沒吃東西了，可是，在這個鬼地方吃什麼？王陽明瀟灑的一笑：『總該有野生的瓜果蔬菜吧。』於是，他們分頭去尋覓，不久，果然採集到好多種野菜瓜果，從此，大夥兒開始以這些異地風味來果腹了。

生活在這樣惡劣的環境之中，正如同王陽明所形容的『人生至此，天道寧論？』既然不能談天道，他就安安心心的過著原始生活，平平靜靜的接受殘酷的考驗，他獵鹿、種樹、植五穀，並且透過翻譯，教導當地土人基本禮儀，以及建造木屋的方法。

這些苗夷土人，雖然言語不通，雖然智識不高，倒是十分純樸善良，他們能夠體會王陽明的友善與好意，他們也會摘些果蔬回贈王陽明。

有一天，王陽明忙了一天，到土人家裡教導醫學常識，又開始教土人們識字，固定的打坐調息之後，他安然睡覺，突然之間，他坐直了身體，高興得大喊：『我悟出了，悟出了。』

旁人趕過來，不曉得發生了什麼事，王陽明開心的說：『我曾經對著竹子格物，格了半天，格不出道理，現在我了解了，所謂聖人之道就是致良知，良知是我們每個人心中本來就有的，不假外求，所謂致，就是發揮之意。』

眾人聽了半天，仍然不太了解王陽明何以如此開心。王陽明一直苦苦追尋聖賢之道，終於他發現，只要在心中尋求本性就是格物，一個人要秉持良知，當然，秉持良知不一定有好的結果，譬如他就被貶到龍場，雖然如此，他心中十分快樂，他做了他該做的事，這大概就是孔夫子所說『君子坦蕩蕩，小人長戚戚』吧！戚戚是憂愁之意。突然之間，他覺得十分豁達，胸中灑脫，精神振奮。

王陽明繼而又想，他因爲得罪劉瑾而痛苦。倘若他與劉瑾合謀，自然不會陷於目前的痛苦，但是，與劉瑾狼狽爲奸的本身，對王陽明而言，簡直比死掉還痛苦，人生既然免不掉痛苦，他還是寧願選擇目前的痛苦，以求心之所安。

想通了這一層道理，王陽明把得失榮辱拋棄一旁，所有的苦悶完全一掃而空，他興奮的編了一首歌曲：

大道即人心，萬古未嘗改。
長生在求仁，金丹非外待。
謬矣三十年，於今吾始悔。

王陽明從七歲小聖人時代，開始苦苦追尋聖賢之道，三十七歲那一年，他終於找到了安身立命之道。

閱讀心得

【第932篇】苗人放蠱。

王陽明千里跋涉，來到了貴州龍場驛這個天然監獄，精神上的超脫，讓他克服了環境的險阻，隨從的人都受不了生理心理的雙重侵襲而病倒，弱不禁風的王陽明反而渾身是勁的照顧他們。

其中一個名叫胡安的隨從，病得最為厲害，他的肚子痛極，不斷『哎喲』、『哎喲』的大呼小叫，並且一口咬定：『完了，我一定是被苗人給放了蠱了。』

『哪有這種事，你不要胡亂猜想。』王陽明安慰道。

『怎麼沒有，昨天一個苗人來，瞇著眼睛對我望，我就心知不妙。』

『他對你望一望，又沒靠近你，你擔心什麼？』

『老爺，你不知道嗎？放蠱只要把蠱放在指尖，遠遠一彈，你就中了蠱，就像我這樣，一定活不久了。』

胡安悲悲切切的訴說，並且央求王陽明，一定把他的骨灰送回老家。

『別講這些喪氣話，自己嚇自己，平白無故的，苗人何必放蠱？』王陽明再三的勸慰胡安，胡安卻死命閉著眼睛，彷彿在等死一般。

未來貴州之前，王陽明就聽過蠱毒之說，到底什麼是蠱，如今真有研究的必要。

於是，他找來通譯，請他說明究竟什麼是放蠱。

『沒錯，苗人的確有放蠱之說，會放蠱的男人，稱為娘公，女的稱為娘母。他們多半對外來的人放蠱，以保護自己家鄉的人。』

『蠱到底是什麼東西？』王陽明好奇的追問。

『老爺，我是漢人，在這兒住了二、三代，所以會講苗語。並不是每個苗人都會放蠱，據說蠱是用盆盂培養的毒蟲，通常是養一些毒性強烈的癩蛤蟆、蜈蚣、毒蛇，闔起蓋子，讓牠們互相咬食，鬥到最後留下來的，正是把其他全吞食的勝利者，牠乃毒中之毒，用以曬乾，這就是蠱的基本材料。接著，他們還得去山裡採一種無風自動草。』

王陽明追問：『何謂無風自動草？』

『顧名思義，這種草無風卻自動，因此，必須挑選一個沒有一點風的日子，仔細去尋覓，由於它外形與一般草無二，所以不容易被發現，此草極毒，另外，還有一種「無娘藤」，它是攀附大樹的無根植物。材料齊備之後，娘公或娘母就準備一個大鍋，把無風自動草、無娘藤，以及曬乾的蜈蚣、癩蛤蟆、毒蛇一塊烘焙，再搗成細粉，這細粉便能殺人。當然，還得加上咒語。』

通譯這一番話，把眾人嚇得個個毛骨悚然，不自覺的發抖。

王陽明沈穩的說：『這個世界上充滿了神秘不可知的事，我相信苗人會放蠱，但是我不相信他們會毫無道理的放蠱殺人。』

王陽明不理會旁人的警告，他不但沒有遠離苗人，反而比以前更加親近當地的土人，雖然他不懂得苗傜當地土語，他用溫和的眼神、誠懇的笑容，加上通譯的幫助，不斷傳遞種種的友善。

土人們對王陽明又新鮮又好奇，他們以前也見過中原來的官員，全都是神氣活現，擺足了架子，完全不把土人看在眼中，與王陽明的態度完全不一樣。

王陽明總是親親切切的拍著土人的肩，用剛學來的苗語問好，土人就用害羞的、靦腆的笑容回報，他們喜歡圍繞著王陽明打轉，露出憨憨的笑容，不斷的向通譯打聽王陽明的種種。

因此，王陽明乾脆在草屋前席地而坐，正式開講，通過通譯，他教他們禮儀，教他們種樹、植穀，教他們如何架屋。土人們瞪大了眼睛，聚精會神的聽，覺得好新鮮。

沒多久，眞的有土人照著王陽明的方法，架木爲屋，這木屋可比以前的草屋堅固多了，耐用多了，大家都十分興奮，於是，一座一座的木屋造起來了，王陽明在土人們心中，也漸漸成爲了一尊神。

至於胡安，先是抱必死之心，過了幾天，拉了幾次肚子，似乎不藥而癒，他拍拍胸脯道：『幸虧苗人沒眞的放蠱。』

胡安見到王陽明，如此不怕死的接近苗人，他擔心極了，可是，日子一天一天過去，王陽明身體健壯，土人似乎也被他收服了，胡安覺得眼眶濕熱，心中一片感動。

閱讀心得

【第933篇】

天然監獄中的龍圖書院。

王陽明來到貴州龍場驛，到處瘴癘蠱毒，成堆蛇虺狐鼠，陷入天然原始監獄之中。但是，他不但沒有被打倒，反而超越了痛苦。旁人警告王陽明，小心苗傜土人放蠱，他卻與土人交上了朋友，成爲當地居民心目中神聖的老師。

每天下午，王陽明的草棚四周圍滿了土人。透過翻譯，王陽明教他們種植五穀、醫療保健、利用樹木造屋。土人們雖然言語不通，開化較遲，沒有經過文明的洗禮，可是憨厚純樸，王陽明愈來愈愛他們，相形之下，朝廷裡那些天天忙著鬥爭的小人，顯得多麼可厭可鄙，王陽明感謝上天，讓他有此機會重新發現人的良知本質。

王陽明對土人太好了，土人也想回報，他們透過翻譯，向王陽明表示：『希望幫老爺造一座大木屋。』

草棚原不適於人居，難得土人有此盛情。王陽明也興匆匆的開始繪畫設計圖，他很有幾何學的概念，一會兒草圖便完成了。

森林裡旁的沒有，全是高插入雲的大樹。土人們旁的本事沒有，力氣倒是不小。於是，在王陽明的指揮之下，大興土木，加上他原有指揮工匠、修建威寧伯王越墳墓的經驗，過了沒幾個月，一棟巍峨的樓房落成，

取名爲龍圖書院。

王陽明身邊的隨從，曾經一個一個不適應的病倒，準備就死在這個蠻荒世界。後來發現王陽明非但沒有被放蠱，反而收服了土人，又開始建樓，因此，也被感染了興奮，心情好轉，身體逐漸康復，這一會兒也忙裡忙外，準備喬遷入新居。

王陽明寫得一手好書法，他把起居室命名爲『何陋軒』，意思是君子住的地方，哪兒會擔憂簡陋？軒前一座涼亭，花木扶疏，翠竹圍繞，命名爲『君子亭』，王陽明取來一張琴，在涼亭中撫弄唱歌，神態優雅，歌聲動人，土人們都看呆了，在他們心目中王陽明是神仙下凡。

不過，土人眼中的神仙，看在思州太守眼裡，王陽明不過是一個被貶的小小驛丞，豈可『大興土木，聚眾煽惑』，該當何罪？因此，太守差了人來調查究竟。

這個差人，不過是芝麻小官，卻自命不凡，他大搖大擺到了龍場，大吃一驚：『乖乖，什麼時候不毛之地中，竟然出現如此像樣的樓房？』

差人擺足了官架子，把王陽明找來問話，第一句話就是喝斥王陽明：『你不懂規矩嗎？還不趕快下跪？』

差人這種小人，王陽明看得多了，只是沒想到在這兒還會遇見，他拱拱手道：『跪拜之禮，也是小官常分，算不得羞辱。不過也不該無故行之，無故行之，與當行不行，都是自取其辱。』

差人火了，他眼睛骨碌碌的到處打轉，接著，他目光停在龍圖書院，冷冷的道：『你這個廳堂的式樣不錯。』

王陽明淡淡應道：『哪裡！』

差人又提高了聲音：『你不覺得僭越嗎？』（所謂僭越，超越也，意思是，超越其本身應有的地位。）說著，差人就吩咐身邊的小嘍囉：『還不給我拆了。』

小嘍囉正準備拆屋，屋外趕來了一群苗傜土人，拿起木棒就往嘍囉頭上一敲，這些土人別的本事沒有，論起打架，漢人哪是對手，他們眼見芝麻小官欺負王陽明，自然立刻上前救援。

差人被打得鼻青眼腫，一拐一拐的逃了回去。思州太守大驚失色，一張臉氣得腫成通紅，他不解道：『奇怪，王守仁不曉得你是我派去的嗎？』

差人無限委屈道：『怎會不知呢？』

『奇了，小小驛丞，如此囂張？』

思州太守萬分不解，正在思量該如何治一治王陽明，此時毛憲副來訪。

毛憲副是王陽明的朋友，聽說了這件事，曾經派人去找王陽明，勸他前往思州太守處賠罪。

不料，王陽明非但不賠罪，反而寫了一封措辭極爲強烈的信，表達心跡。

王陽明先是誠懇的謝謝毛憲副的美意，繼而解釋：『差人挾威勢凌辱龍場，非太守之意，同樣的，諸夷憤憤不平，上前救援也不是我王某人的意思。』

他又說：『我身陷瘴癘蠱毒之處，一天之中可以死三次，現在竟然可以處之泰然，那是因爲深深了解生死有命，假如太守準備加害，我也沒什麼遺憾，在我看來，也不過是因蠱毒而喪生罷了。』

思州太守看著信，背脊不斷有涼意往上竄，他看出來王陽明視死如歸，絕不會低頭。他也看出來，苗傜土人對王陽明心服口服，忠心耿耿，若是不小心觸怒了土人，惹起什麼亂事，他可擔待不起。所以，思州太守識時務爲俊傑，立刻換了一張臉孔，對毛憲副打躬作揖：『素仰王先生學問，佩服佩服，還希望王先生大人大量不予計較。』

閱讀心得

【第934篇】

石棺中的王陽明。

春去秋來，王陽明在龍場驛已經待了三年，這裡被原始森林籠罩著，潮濕蒸鬱，暗無天日，人煙稀少，瘴疫猖獗，彷彿是一座天然監獄。王陽明以精神力量超越了生理心理的雙重痛苦。

正德四年秋天，王陽明聽說京城裡來了一個吏目，不曉得姓什麼名什麼，只知道他帶著兒子僕人前往上任，經過龍場驛，借住在土苗家裡。

王陽明剛好經過，從籬笆中遙遙望見，只見三個人都一臉苦相，他本來想去問問京城裡的消息，可是當時天空墨黑，即將大雨傾盆，因此打道回府，準備第二天再去問話。

第二天一大早，派人去看他們，說是已經出發了。到了中午，有人自蜈蚣坡來，神情慘淡的說：『有一個老人死在坡下，旁邊兩個人哭得很傷心。』

王陽明十分難過，長長歎了一口氣：『這一定是吏目死了，唉！』

到了傍晚，又有一個人來說：『坡下死了二個人，旁邊一個人哭得死去活來。』

王陽明搖搖頭：『吏目的兒子死了。』

第二天一大早，又有人來說：『蜈蚣坡下有三具屍首。』這一回，連僕人也死了。

王陽明哀憐他們無人收屍，命令二個差役拿著畚箕、鐵鍬去埋葬屍體。天氣好熱，秋老虎正在發威，二個差役面有難色，一臉不願意的表情，又不敢埋怨王陽明多管閒事。王陽明幽幽道：『唉，你我的處境與他們三人差不多。』

這些話重重打在差役心中，想起自己遠離親人，走到這孤寂荒涼的龍場，不曉得哪一天，這個陌生的異地也會是喪葬之地，忍不住嚶嚶的哭了起來，對吏目三人也勾起了同情。因此，擦乾眼淚，跟著王陽明，來到了蜈蚣坡。

王陽明到了坡旁，指揮差役在山旁挖了三個坑，把他們埋下去，並且準備了一隻雞、三碗白飯弔祭。

挖好埋好之後，王陽明流著眼淚祭拜他們：『嗚呼傷哉，嗚呼傷哉，你們是什麼人？你們是什麼人？我是龍場驛丞餘姚縣王守仁，我與你們都是中原人，但是我不曉得你們姓名，也不知道你們家鄉在哪裡，你們爲何來到這兒當鬼？古人是不輕易離開家鄉的，就是出外做官，也不超過一千里以外，我是因爲被貶斥，不得已來到這兒，你又是爲了什麼冤屈呢？』

說到這兒，王陽明已哽咽不成聲，旁邊二個差役也哭得窸窸窣窣，王陽明繼續爲吏目叫屈道：『我聽說你的官職，不過是一個小小的吏目，俸祿不超過五斗，你率領妻子種種田也不止於五斗米，何必爲這區區五斗米換取你昂藏七尺之軀，還嫌不夠，又賠上你的兒子、你的僕人。

『假如，你眞是爲五斗米而來，你就應該欣然前往，爲什麼昨天我見到你，你一臉愁苦，似乎不能承擔憂慮。唉，一個人承受著風霜雨露，攀登懸崖峭壁，從無數山峰走過，飢渴勞頓，筋骨疲憊，再加上瘨癘侵其外，憂鬱攻其內，怎麼可能不死呢？我固然早就知道你會死，沒想到你會死得這麼快，也沒有料到你的兒子和你的僕人，也會倉促之間死掉，這是你自己找來的，再說也沒有用。

『我因爲顧念你們三副屍骨無人收拾才來埋葬，使得我心中有無限無限的悲愴、嗚咽，就是我不來收屍，深山之中的狐成群，暗溝裡的蛇粗壯得像是車輪，也一定會把你們吞到肚皮裡去，不至於讓屍骨常常暴露在外，你們雖然人已死，沒有知覺，我又怎麼忍得下心？

『自從我離開父母，離開家園，來到這個龍場驛，轉眼之間已經三年了，歷經瘴癘還能苟且活命，因爲我沒有一天是憂憂戚戚，今天我如此之悲傷，是爲了你們的緣故，我不應該再爲你們傷心了。我來爲你們唱一首輓歌吧，你們聽著：

『連綿的山峰接近天際，連飛鳥都不容易通過。遊子懷鄉啊，卻辨不清東西的方向，雖然分辨不清東西南北，卻有相同的天空，無論如何遙遠總還是在中國啊，達觀一點，隨遇而安吧，何必非守在自己的家鄉，你們的靈魂啊，不要太過於悲傷啊！

『我再唱一首歌來安慰你，我與你都是離鄉背井的人，在這個野蠻的地方，言語不通，不曉得什麼時候就會死去，假如我也死在這兒，你率領

你的兒子僕人與我一塊玩耍，我們一塊騎著神虎，登上高處眺望故鄉互相唏噓。如果我能活著回去，你的兒子僕人還跟隨著你，你不必因爲沒有伴侶而感到哀傷。道旁一個一個的墳墓，大都是中原來的，你可以與他們一起呼嘯徘徊，餐風飲露，朝與麋鹿相伴，暮與猿猴同宿，你安心住在你的墓穴中，可別在這兒當個厲鬼。』

葬完了父子僕三人，王陽明非常哀傷，他也發現要超脫生死一念，還有待努力，因此，他訂了一口棺材，有事沒事就躺在棺材裡修身養性，棺是石頭做的，冰冰涼涼十分舒服，偶爾他乾脆在石棺中睡個午覺，久而久之，愈來愈豁達。

事實上，王陽明被扔到龍場驛，差不多就是一腳已踏入了棺材，他還是本著悲天憫人之心，同情與照顧陌生的三個旅人，這一分高貴的情操讓人動容，他親筆所寫、記錄這一段經過的〈瘞旅文〉（瘞乃掩埋之意）也就自明代流傳至今。

閱讀心得

【第935篇】

席元山重修貴陽書院。

王陽明在龍場驛鑿了一具石棺，有事沒事便躺在裡面，希望能突破對生死一關的憂懼。

跟隨王陽明前來的僕從，有的可以受到王陽明的潛移默化，逐漸變得豁達開朗。但是仍然有些熬不過環境的惡劣、心情的苦悶、水土不服的困窘，終於一病不起。面對這樣的生離死別，王陽明依然十分哀痛，無法超脫。當然，人總是人，王陽明內心深處也不免擔心，下一個與閻王爺報到的，該不會就是他自己。

因此之故，王陽明時時躺在石棺之中修身養性，在人生的大熔爐裡千錘百鍊。

有一天，王陽明又窩在石棺裡做白日夢。他忽然唸著一段莊子的話：『生死修短，豈能強求？予惡乎知悅生之非惑邪？予惡乎知惡死之非弱而不知歸者邪？予惡乎知夫死者不悔其始之蘄生（蘄，求也）乎？』

這一段話十分深奧，王陽明過去讀過，沒有太多領悟，如今隨時等待著死神的召喚，他突然明白了莊子的意思：『一個人的壽命長短豈能強求？我哪裡知道，貪生是不是迷誤？我哪裡知道，人的怕死，並不是像幼年流落在外而不知歸故鄉？我哪裡知道，已經死了的人不會懊悔他從前求

生？』

王陽明瀟瀟灑灑自石棺中一躍而出，自言自語道：『可不是嗎？生未必樂，死未必苦，生死其實沒有太大的分野，說不定哪一天死了之後，會懊惱從前活著的時候多麼愚蠢，爲何當初不早一點死了。』

這一次大徹大悟之後，王陽明整個心境豁然開朗，神采奕奕，每天講課更是帶勁。

當地苗傜土人對於王陽明的學問能夠了解的實在有限，他們是把王陽明當成活神仙在拜。倒是貴州的少數漢人，聽說王陽明在開課，不辭勞苦遠道趕來旁聽，愈聽愈有趣味，王陽明學問好、口才好且不說，身處困境，他依然慷慨豪爽，英風颯颯、談笑風生，單單這一分修養就讓人佩服不已。

貴州提督學政席元山聽說了龍圖學院開講的盛況，親自前來龍場驛向王陽明討教。

王陽明針對當時學者知而不行，只曉得掛在嘴邊說一說的毛病，特別提出了『知行合一』的學說。

王陽明認爲，知是行的主意，行是知的工夫，知是行的開始，行是知的完成。譬如，看到美麗的顏色，聞到穢惡的臭氣，這是屬於知。當見到美麗的顏色心生喜歡，聞到穢惡的臭氣心生厭惡，這是屬於行，由此可見知與行的關係，牢牢不可分離。

王陽明眞正想說的是，一個人在意念發動之時，就要徹徹底底揚善去惡，任何一個意念的發動，便是爲善爲惡的分別，也就是君子與小人的差別。

席元山一聽之下，大爲歎服，再三稱謝，『聖人之學，重見於今日矣。』回去之後，隔不了兩三天，席元山又來了，又想聽聽王陽明講學問。

又過了幾天，席元山與毛憲副一塊前來，後面還跟著一大批青年學生，一致要求王陽明赴貴陽書院講課。

王陽明有些惶恐，他謙虛道：『野夫一向疏懶，舊學都拋棄了，有這個威儀去講學嗎？』

『當然。』衆人一再邀請，王陽明終於答應了。

貴陽書院位於貴陽城東的東山山麓，風景秀美，有雲遮霧障的仙氣，也有松石筆立的崢嶸，王陽明一眼就愛上了這個地方，他面對著綠草如茵，開心的朝身後的學生們說：『不如，我們就在草地上互相討論吧！』

『好啊！』席元山、毛憲副以及一群渴望求知的學生，全都圍攏過來，席地而坐，聆聽一代大師的精彩講學。荒僻的貴陽縣，也因爲大師的來到，立刻變得斯文典雅、古風蘊藉，從此之後，貴州學風大盛，甚且連土苗也大爲開化，這不能不歸功於王陽明。

就在王陽明逐漸適應龍場驛，也不對未來抱持任何希望之時，突然之間，時來運轉，他被朝廷赦免，調升江西廬陵知縣，廬陵位於贛江中游，地雖偏僻，卻以富饒著名。

回首三年不堪的謫居生涯，王陽明心中有無限的感觸，他經歷了心理生理雙重的痛苦，卻也因此『居夷三年，見得聖人之學，如此簡易廣大』。他在痛苦之中找到眞理。

閱讀心得

【第936篇】王陽明提倡務實哲學。

正德四年，王陽明終於否極泰來，升任爲江西廬陵知縣，他循著當年舊路東歸，心情十分輕鬆愉快。

當王陽明經過綠水西頭泗州寺，遇到一位老僧，見到王陽明便驚喜的叫了出來：『這不是王先生嗎？』

『你還記得我？』

『怎不記得？王先生的氣質與眾不同，三年了吧，依然如此清癯。』

老僧笑著打量王陽明。

王陽明摸摸臉笑著回答：『是啊，始終胖不起來。』他心中想說的是，能保住一條命已經不容易了。

王陽明到達任上之後，消弭盜賊，除暴安良，興學校以教導子弟，闢防火巷以防火災，對於才高八斗的王陽明而言，這小小的廬陵縣不過是牛刀小試，沒有多久，當地大治，甚且留下來的風氣，歷萬年而不衰。

不久之後，也就是正德五年八月二十五日，當年陷害王陽明的劉瑾被定罪，劉瑾被判磔於市，（磔，是古代分屍的酷刑。）分三天處死，讓他慢慢的受折磨，最後，他的頭顱又被砍下來示眾，當時的人們竟然紛紛搶買一小塊劉瑾的肉生食，用以發洩心中的憤恨。

這年十一月，王陽明奉召入京，覲見明武宗。離京四年，景物依舊人事已非，他開始受到朝廷重用，先後調升吏部主事、文造清吏司員外郎、考功清吏司郎中、太僕寺少卿等職務，不論擔任任何職務，他永遠全力以赴。

正德八年，王陽明思鄉情切，與弟子徐愛同行，暢論學問種種。徐愛是王陽明的妹婿，武宗正德二年，當王陽明出獄之後，他就跟著王陽明求學問，是王陽明最早的弟子，也是最疼愛的弟子，王陽明才氣逼人，自然有時不免銳利，因此他曾自歎不如道：『我是不及徐愛的溫和謙讓。』

徐愛十分善良，盡力協助王陽明普及教育，在王陽明心目之中，常把他與孔子弟子顏淵相比，不幸的是，後來徐愛竟然與顏淵一樣，三十一歲就早死，王陽明傷心極了，時時講學一半，想起徐愛，慟哭失聲，率弟子赴徐愛之墓祭弔。

徐愛的死是後話。當正德八年回鄉之時，師徒二人沿途說說笑笑十分愉快，尤其此行徐愛晉升爲南京工部員外郎，而王陽明省親之後，也要接任南京太僕寺少卿，二人春風得意，談興極濃。

徐愛一路發問，王陽明娓娓回答，對於堯、舜、禹、文王、武王、周公、孔子、孟子一脈相傳的儒學，王陽明都有獨到的見解，徐愛牢牢默記在心，成爲王陽明傳世的經典《傳習錄》。

所謂傳習，語出於〈論語‧學而篇〉，曾子說：『吾日三省吾身，爲人謀，而不忠乎？與朋友交，而不信乎？傳，不習乎？』

這句話的意思是說：『我每天反省三件事：我替人謀事，有不盡心盡力的嗎？與朋友交往，有不信實的嗎？老師教導我的，我有不熟習的嗎？』

《傳習錄》一書，多半是王陽明與弟子談論學問，或者答覆他們提出來的問題，由徐愛、錢德洪等人記錄下來，與《論語》一書產生的方式差不多。

徐愛認爲王陽明的學問是『孔門嫡傳』，他因爲聽了之後『欣喜如狂，不覺手舞足蹈』。因此忍不住記錄下來，與其他人分享。

譬如其中有一段談到務實很有名，經常爲後人拿來引用。

這是王陽明與門人薛侃的一段談話。

有一天，王陽明講到修養，他長長嘆了一口氣：『爲學的大毛病，你們說，在哪裡？』

『哪裡？』門人一起望向王陽明。

『在好名、太愛追求外在的虛名了。』

薛侃道：『可不可以請老師深入解釋，求名乃是一種人性啊。』

王陽明慢條斯理道：『名與什麼相對？』

『與實相對。』徐愛回答。

王陽明用嘉許的眼光望了一眼徐愛。

『正因爲名與實相對，一個人務實的心多一分，那麼，務名的心就輕一分，如果一個人全是務實的心，就全無務名之心，當務實的心像是餓的時候求食物，渴的時候求飲料，哪裡還有工夫好名？』

王陽明深刻的剖析著。

薛侃又問：『不過，人們其實往往口中講務實，內心卻在務名。』

『正是，因此要致良知啊，當然，運用良知來評斷事物，不能武斷，不能全憑直覺，必須依賴智慧實事求是。如人走路一般，走得一段，便認得一段，走到岐路，有了疑問，問了再走，才能達到預定之地啊。』

徐愛薛侃望著王陽明，同時在想，老師的行事，就為『務實』二字下了一個最好的註腳啊。

閱讀心得

【第937篇】王瓊愛才。

王陽明離開龍場驛之後，否極泰來，官運亨通，從南京刑部主事，升爲考功郎中，又跳到南京太僕少卿，順利得讓人咋舌。

從表面上看來，似乎花花大少的明武宗偶爾也能知人善任，懂得王陽明的優秀。事實上明武宗沈醉於醇酒美人，腦子裡全是他自封的『威武大將軍』的英雄夢，他對王陽明實在沒有太多的印象；王陽明之所以時來運轉，自萬丈谷底翻身，那是因爲背後有貴人相助，這個重要的貴人就是王瓊。

王瓊是山西太原人，成化二十年進士，王陽明的父親王華是成化十七年的進士。王瓊與王華同姓王，是本家，王瓊對王華十分佩服，王陽明是生於成化八年，算起來，王瓊是王陽明的父執輩。

王瓊是看著王陽明長大的，王陽明少有神童美譽，王瓊十分欣賞看好他。但是，他也擔心王陽明的硬骨頭、臭脾氣，王瓊早就料到，這個狂小子遲早會出問題，因此，王陽明後來得罪劉瑾，被貶到龍場驛，全在王瓊的估算之中。

王陽明高貴善良，正直純潔，爲了堅持原則，不惜犧牲生命。王瓊卻認爲，身處亂世，應當『同流而不合污』，這才能在混亂的局面之中，設

法為國家盡一分力量。

王瓊喜怒不形於色，見人說人話，見鬼說鬼話，因此他與明武宗身邊的小鬼，不論是小寧兒錢寧，或是勇將江彬，平時都能混在一塊兒，嘻嘻哈哈打成一片，這才能有機會見到明武宗，不被武宗身邊的小人所排擠。

另一方面的王瓊則是深沈而厲害，他中進士不久，以工部主事的身分，曾經出來治理漕河三年，三年之中，他把一切治理得井井有條不說，他還把一切經過，詳細的寫在志書上，讓接替他職務的人十分方便。所謂志書，指的是記載各地疆域沿革、古蹟、險要、人物、物產、風俗習慣的書，例如記地方的叫縣志、府志，記省的叫通志，記全國的叫一統志。

王瓊自己重視留下紀錄，他也懂得在檔案之中尋查資料，譬如他擔任戶部尚書之時，邊帥要求這、要求那，王瓊如數家珍某某倉庫有多少糧草，某郡歲輸多少，數目字一清二楚，把大家都嚇壞了。

王瓊自己一肚子才學，因此他特別愛惜人才，他早就看準了王陽明是不可多得之才，他要好好愛護王陽明，培養王陽明。王陽明自龍場驛歸來之後，歷任要津，王瓊就是希望他多歷練，多養望，所謂養望乃培養聲望也。

這一回，王陽明南下就任南京太僕少卿之時，提出要求，希望能夠順道回家探親，恰好擔任王陽明長官的王瓊不但立刻答應，並且給了長達半年的長假，這不能不說是王瓊的一番惜才。

正德八年，王陽明終於回到了闊別多年的家鄉浙江餘姚，這一路行來，王陽明都在默唸李白那一首著名的『床前明月光，疑是地上霜，舉頭望明月，低頭思故鄉』。當他躺在龍場驛的石棺之中悟道之時，眞不敢想像這一輩子還有機會回到家鄉。

餘姚自古盛產楊梅，楊梅收穫季節甚短，過不了幾天就會爛掉，王陽明記得小時候楊梅成熟時，小朋友總是在樹上邊摘邊吃，吃得口中發酸，肚皮鼓起，全身被楊梅汁染得又紅又紫，好玩極了。

王陽明回到家，啜一口酒浸楊梅，覺得幸福極了，並且用家鄉餘姚方言與家人親切聊天，餘姚方言十分難懂，王陽明覺得講土話當然有母語的溫情，不過，實在不方便與外人溝通，經過了監獄之災，挨過廷杖之痛，遭過貶謫的折磨，逃過刺客的暗算，王陽明豐富的閱歷也讓他對許多事，有了不同的看法。

　回到餘姚，也算是衣錦還鄉，親友紛紛前來道賀。接著他與徐愛等門人赴會稽山、蘭亭、四明山遊歷，身心十分舒暢，他尤其欣賞四明山的雪竇寺，寺旁有一飛泉，狀似雪花飄飄，所以稱之爲雪竇寺，王陽明徘徊流連，得詩一首，其中名句是：『林間煙起知僧往，巖下雲開見鳥飛。』在與大自然共交融時，他每每會想起那位教他打坐，指引他勇敢面對人生的老道士，王陽明盤起腿來，就在飛瀑之下與弟子們傳道、授業、解惑。

　其後，他赴南京上任，又到安徽滁州監督馬政，再升爲南京鴻臚寺卿，這些職務全是官高輕閒，王瓊的意思是讓王陽明輕閒一下，養一養虛弱的身體，以備他日大用。但是，這一切，王瓊都沒對王陽明說清楚。

王陽明是個想做事，不是一個貪圖官位的人，自龍場驛回來五年之後，閒散的職務愈做愈沒趣，加上老祖母九十六歲高齡，企盼孫兒，所以他二度上疏，請求歸鄉。

這回王瓊可沒答應他，因爲國家多難，該是起用王陽明的時候了。

閱讀心得

【第938篇】

商船變艦隊。

提起王陽明三個字，中國人都知道他是明朝偉大的思想家。事實上，他還是了不起的軍事家，能文又能武，只不過，軍功爲文化所遮掩。

正德十一年，由於兵部尚書王瓊的力薦，王陽明被擢爲右僉都御史，巡撫江南，原來，當時廣東、福建、湖南、江西四省出了不少的強盜，尤其江西與福建一帶的匪寇剽悍異常，朝廷屢次派人圍剿，官兵捉強盜，捉來捉去，總是撲空，有時反而被打敗，官兵面對山林，眞是束手無策。

想王陽明從小沈醉於兵法武藝，崇拜漢朝馬援老將，甚且在十五歲之時，偷偷跑到居庸關玩了一個多月，觀察塞外山川形勢，眞有一番立軍功的雄心壯志。

但是，事隔三十年，到了已經四十五歲的王陽明，他面對這一項任務，實在不能抱持樂觀，因爲他身體虛弱，因爲他了解世事艱困，更重要的是，因爲他太清楚明武宗花花公子的調調兒，以及滿朝幾乎全是奸臣小人當道。

王陽明上疏請辭，皇帝不准，他只好硬著頭皮上陣。

王陽明在上任途中，就小小的露了一手。當他舟過萬安，聽說沿途盜賊出沒，商船嚇得躲在岸邊，不敢渡贛江。

王陽明亮出身分，把商船船主聚集在一起：『你們應該團結在一起，人多勢衆，盜賊自然也會害怕。』

被王陽明這麼一鼓動，商船船主們合攏起來，在王陽明的調度之下，擺開陣式，揚旗鳴鼓，破水前進，這江上的盜匪原本一向吃定落單的商船，從未想到，商船竟然連成一隊，而且水手們捲起袖子，挺著胸膛，站在船頭，船上還有戰鼓聲，這些商船怎麼一會兒變成了艦隊？

『怎麼回事？羔羊變成了老虎啦？』強盜中的老大石破天在江邊的空地上大聲吼叫，顯得又憤怒又畏懼。

『老大，我打聽到消息。』一個小嘍囉滿頭大汗跑來報告：『這些商船是被新上任的御史大人組織起來的。』

『哪一個御史大人？』石破天問道。

『這位御史大人名叫王守仁，奉旨到江西、福建來巡撫視察。』小嘍囉高聲回答，似乎是說給四周圍的強盜們聽的。

『這位王大人是有學問的人，心地善良，待人極好，又精通兵法，聽說他在貴州做官的時候，貴州的土人把王大人當成了神。』

『老大，』強盜中的副首領丁成說：『我們這群人在江上打劫商船也不是幹甚麼好事，我們弟兄們有的是沒有飯吃才鋌而走險，有些是被貪官污吏迫害而加入，幹我們這種事的人，將來也沒有臉到地下見祖先，不如趁此機會向王大人投誠，免得王大人帶兵來剿，那我們就慘了。』

丁成的話立刻引起了強盜們紛紛議論，極大多數人都贊成向王大人投

明
明

誠。

『大家聽著，』石破天高聲的說：『既然大家都想向王大人投誠，那麼，我就帶領大家到江邊去見王大人。』

於是，幾百個江賊齊集江邊，石破天與丁成則駕著一艘小船划向商船。

『我是石破天，我求見王御史大人。』石破天在小船上對著商船高喚。

『大人，這個石破天是這一批江賊的頭頭，你要不要見他？』一位船主對王陽明說。

『當然要，讓他們到大船上來談。』王陽明果斷的說。

石破天和丁成上了商船，見到王陽明，立刻撲跪叩頭。

『兩位請起。』王陽明親自拉起了石破天和丁成：『你們可是來和船主們談判的？』

『不敢。』石破天低頭抱拳道：『我們這幾百人都不是自願幹強盜的，我們弟兄們有些是飢民，有些是被貪官污吏所迫害，不得已才幹起劫船的勾當。聽聞王大人清廉公正，愛民如子，所以我們才敢前來歸順，請大人赦免我們以前的罪過，我們願意從此改過遷善，重做良民。』

『善哉，善哉！』王陽明不自覺雙手合十：『人非聖賢，孰能無過，過而能改，善莫大焉。你們既知前罪，從此改邪歸正，各自務農務商，做一些正當的生意，我保證朝廷不會爲難你們，同時，只要有我在，這江西福建一帶也不容許貪官污吏迫害良民，你去告訴你們的弟兄吧！』

石破天和丁成叩了三個響頭，登上小舟，回到岸邊。

商船上的人都湧到了船邊，看到岸上那些原本窮兇極惡的江洋大盜竟然全跪在地上向王陽明遙遙叩頭，大家心裡有一個共同的感覺，王陽明的道德感召眞是勝過於千萬雄兵。

閱讀心得

【第939篇】

象湖山的滾石。

王陽明不但有學問，並且懂得用兵，這是一般人所忽略的。

正德十二年一月，王陽明抵達贛州，當時贛州地方治安不好，土匪出沒擾民，他推斷土匪每次出動，必定有內應，才可能得心應手，滿載而歸。

因此，王陽明下了一個命令，實施『十字牌法』，集合十戶人家爲一『牌』，登記各戶人口的姓名、年齡、相貌、職業等，每天由一家擔任巡察，只要發現有可疑的陌生人，必須立刻報官處理，假如有所隱匿，十家都得連坐處罰。並且要求百姓各安本業、互相尊重、守望相助。同時，又遍選民兵，勤加操練，更通令江西、福建、廣東、湖南四省都加強民兵的組織與訓練。

過了沒有多久，福建漳州地方的盜匪發動猛烈攻擊，準備給王陽明這個新官來一個下馬威。

王陽明一點也不畏懼，他一方面用石僉都御史的身分，命令福建、廣東、湖南三省部隊會同剿匪，一方面他又率領江西民兵親自出征。

走到漳州附近，王陽明的官軍便遇到漳州的盜賊，雙方發生了激戰，向來政府軍隊都是花拳繡腿，根本不能眞正打仗。由於王陽明的部隊經過

訓練，士氣高昂，有旺盛的戰鬥力量，漳州盜賊屢戰屢敗，眼見情勢不妙，趕緊前往老巢逃命去也。

王陽明是一個鍥而不舍的人，他一聲令下：『追！』精銳的部隊尾隨漳州土匪，奔向象湖山，一路之上黃塵滾滾，眞正是驚天動地。

土匪們逃回象湖山，這象湖山山嶺險峻，百丈懸崖，居高臨下，易守難攻，當王陽明率領官軍前來象湖山麓，眼望狹小山徑，筆直而上，猶如天梯，大家心中不免有所恐懼。

『大家小心！』王陽明指著上山小徑，高聲對官兵們說：『現在我們要從這條路上山，這條路太陡峭了，要當心山上的土匪會扔下大石頭來。所以，大家一邊往上爬，一邊得注意山上是否有東西滾下來，如果有東西滾下來，趕快藏身於小路邊的大樹下，或者巨石旁，躲過被擊中的危險。現在，大家先高聲叫三聲「衝呀！」聲音愈大愈好，但向山上走的時候，越慢越好，這叫虛張聲勢。』

於是山下的官兵大叫了十聲『衝呀』，大家愈叫愈興奮，好像在比賽嗓門，一時『衝呀』之聲響徹雲霄。

山上的盜賊們聽到山下官兵的大叫聲音，感到事態嚴重，便將平日準備好的大石與大木頭推下來，這些巨木與巨石沿著小徑向前滾，『轟隆』『轟隆』之聲在山谷中傳開來，頗爲嚇人，官兵們早就受到王陽明的警告，發現一路向下滾的巨木、巨石，趕快找躲藏之處保護自己，所以，無數的滾石、滾木，雖然驚險，實際上卻沒有傷到人，只不過，巨木巨石也發生了一點作用，那便是把上山的山徑多處堵死，不能通行。

山上的土匪眼見官軍上不了山，總算放下了心，大夥兒搬進巨木巨石，早已疲累不堪，於是紛紛尋覓蔭涼之處，倒頭便睡大覺。

『殺！』不知自哪兒傳來一聲大吼，接著從後山竄出成百上千的官軍，手揮刀劍，直奔而來。象湖山上的土匪好夢正酣，哪裡想到王陽明早已暗中派了另外幾支官軍，從象湖山的後面與側面攀登上山，前山的官軍只不過是個誘敵的棋子罷了，土匪們張皇失措，不是被殺，就是投降，於是，困擾地方數十年的象湖山土匪完全被消滅。

朝廷爲了表揚王陽明平定寇亂的事功，一再獎勵升遷，但是王陽明實在是累了、倦了，他原本體質就差，長期的透支更疲累得只剩一把骨頭。

再加上祖母岑太夫人已經一百歲了，臥病在床，天天想念王陽明這個寶貝孫子，王陽明二度上疏，請求返歸鄉里，可是朝廷不准。

皇上不肯，他又曾上書恩公王瓊，表示：『群盜雖已剿滅，但是漏網尚多，將來之禍，不可勝言，固非我所能辦也。』王陽明心中是擔憂寧王宸濠，終必作亂，王瓊也是同樣爲此操心，所以不准王陽明退休。

正德十四年，王陽明正在福州處理叛逆，聽說寧王宸濠造反，立刻趕回吉安，興起義兵，討伐叛亂，護衛王室，並且接出夫人與兒子正憲來到吉安，表明隨時全家殉國。

當宸濠造反的消息傳到京師，朝廷個個著急，只有兵部尚書王瓊氣定神閒道：『諸君勿憂，我用王守仁安贛州，正爲今日，沒多久，賊旦夕可就擒。』

王瓊長期栽培王陽明，等的就是這一天。

閱讀心得

【第940篇】

王陽明比賽射箭。

明朝正德十四年，王陽明在短短二個月之中，平定了宸濠之亂，關於這一段，前面講得十分詳細。

王陽明是個隨時不忘讀書研究的人，即使在軍事危急之時，他也有這分定力，一面指揮作戰，一面討論學問。

有一回，他正爲學生們談論古書，談到某一段十分起勁，頗有不凡的見解，突然接到前線失利的報告，他神態自若的走了出去，十分明快的下達命令：『立斬陣前退卻的士兵』，這一刻王陽明可是嚴厲的軍事統帥。

一轉身，他回到書桌前，又開始談學問，學生們好奇問了方才發生的事，王陽明告訴大家，個個目瞪口呆，大家心中懸掛著戰爭不知如何發展，難免有些緊張不安，實在沒有讀書的心思。

做爲老師的王陽明卻揮揮手，淡淡的說：『別放在心上，這是兵家常有之事，不足掛齒。』

後來，宸濠被擒，消息傳來，所有的人都欣喜欲狂，甚且有人跳到桌上高聲歡呼，王陽明依然面無表情，不動聲色，他的學生們望著老師喜怒不形於色的表現，忍不住說：『這不是謝安的再版嗎？』

按謝安是東晉的宰相，當時北方前秦君主苻堅率領大軍南下伐晉，謝安的侄兒謝玄統領晉軍抵抗，肥水一戰，苻堅慘敗，退回北方，東晉才得以保存，當晉軍在肥水打仗的時候，謝玄從前線派了使者送來打勝仗的捷報，謝安看完了謝玄簡單的捷報，默默的不動聲色，從從容容繼續下他的圍棋。

客人忍不住問道：『前線的軍事勝負如何？你看的是什麼信？』

謝安輕描淡寫道：『小兒輩大破敵軍，傳來捷報。』講這一句話之時，謝安的意態神色舉動，與平日毫無不同處，客人們聞聽捷報都雀躍不已，卻深深佩服謝安的鎮定功夫。

謝安下圍棋的鎮定，傳爲千古美談。其實，謝安心中怎麼可能不牽掛不焦慮。只是，努力做到心平氣和，尤其是做爲一個領導人物，如果毛毛躁躁，神色張皇不安，那麼，他的部下豈不更是如熱鍋上的螞蟻嗎？

王陽明在龍場驛的鍛鍊，讓他學會安定，安定能帶給自己，帶給旁人最爲深刻的力量。

王陽明大破宸濠，拯救了大明朝廷，卻惹得明武宗不悅，原來，宸濠謀反之初，明武宗原準備要親征，遭到群臣諫阻，正在鬱悶不樂，聽說宸濠正式叛變，武宗興奮得下詔親征，自封爲『奉天征討威武大將軍鎮國公朱壽』，一面把打仗當遊戲，一面藉機暢遊江南。出發不久，王陽明的捷報傳來，武宗把這一個掃興的訊息擺在一邊，不予以理會，繼續南征。

這時，明武宗身邊的江彬、張忠等人爲了滿足明武宗好大喜功的心理，竟然三番兩次派人阻擋王陽明，甚且希望王陽明把宸濠放回鄱陽湖，讓武宗親自擒拿才過癮。這眞是天下再荒唐不過的事了，王陽明不假思索就加以拒絕，同時改道錢塘，把宸濠交給張永，張永是難得一見的好官官。

把宸濠交給了張永之後，王陽明回到江西。這時，武宗身邊的寵臣張忠、許泰已經等候多時，他們得不到宸濠，便開始藉題發揮，無理取鬧。他們指使追隨他們來到江西的京軍，成群上街謾罵王陽明，到處挑釁。王陽明修養深厚，不爲所動。相反的，京軍的將士們如果生了病，王陽明會派當地的醫生來免費診治醫藥，如果京軍的將士死了，王陽明會贈送棺木，京軍被感動了，個個都說：『王都堂如此愛我，我怎麼忍心去侵犯他？』京軍原本是前來找麻煩的，到了江西南昌，竟然見到王陽明張貼的告示：『北軍離家遠來，客中思鄉，種種苦楚，應當格外體諒，居民務必要敦主客之禮。』有一位小兵看了告示，感動得直掉眼淚，並且說：『除了我媽媽，我到了軍隊以後，沒人這麼體貼我。』

看到京軍不肯鬧事，張忠、許泰火大了，非得想辦法挫一挫王陽明不可，在他們眼中，王陽明是一個文弱書生，手無縛雞之力，雖然打敗了宸濠，自己一定不懂弓矢，不如約他比武，讓他當場出個醜。

王陽明知道張忠、許泰是故意找麻煩，自己想躲也躲不掉，只好答應。在大操場上，王陽明換上武裝赴會，張忠、許泰得意萬分，斜著眼望著王陽明，臉上充滿了嘲笑的表情。

張忠輕蔑的問王陽明：『你知道怎樣張弓吧？』

『大概知道。』王陽明謙虛的回答。

王陽明緩緩的走到武器架前，取出弓與箭，俐落的扣箭搭弦，稍稍瞄準前方的箭靶，很輕鬆的，『颼』的一聲，箭如流星一般，射中紅心。

這時，不論京軍、地方軍暴喝一聲：『好！』

張忠、許泰相對望一眼：『怎麼會是這樣？』

許泰小聲說：『瞎貓碰上死耗子，第二箭就要出笑話了。』

張忠點點頭：『對，看他射到哪裡去了。』

沒想到，王陽明不慌不忙，第二箭依然射中紅心。

張忠見京軍鼓掌喝采，大不以爲然道：『弟兄們瘋了，長他人志氣，滅自己威風嘛。』

等到王陽明第三箭仍然正中紅心，可不得了，滿場騷動，人人如醉如痴如狂，拍手歡呼情緒的興奮與激昂，眞是無可比擬，人們的手掌拍痛了，喉嚨喊啞了，還是久久不肯停止。

閱讀心得

【第941篇】

張忠發揮小人特質。

張忠、許泰邀請王陽明比賽射箭，原是準備安排在大庭廣眾之中羞辱王陽明的，不料竟成為王陽明武藝的表演場，王陽明表演得太出色了，當然沒有人敢來比武，更讓王陽明成為當地軍民心目中的神明偶像。

張忠對王陽明格外憤恨，因為張忠與張永一般，同為明武宗親信的大太監，王陽明把宸濠交給張永，而不交給他，顯然就是看他不起，這個仇是非報不可。

張忠用挑釁的口氣責問王陽明：『王巡撫箭術不凡，令人欽佩，不過，還有一件更讓人欽佩之事，寧王宸濠富甲天下，人盡皆知，怎麼破了宸濠，府中財物一空？』

張忠此話極不友善，言下之意，王陽明是飽入私囊了。

王陽明坦誠的回答：『宸濠把財貨都用來賄賂京師要人，他的送禮簿在我手中。』

王陽明説的是實話，卻重重的打了張忠、許泰一拳，因爲他二人都收過宸濠的厚禮，他們很擔心王陽明把送禮簿當場攤開，那可就難看了，因此他們不敢再追問。不過，這一口氣不能不出。

張忠瞇縫著眼睛打量王陽明，他打心底討厭王陽明的正直模樣，忽

然之間，張忠笑開了，因爲他想到一條毒計：

他開始到處散播謠言，說王陽明原來是依附宸濠的，換句話說，王陽明和宸濠是一夥的，後來聽說皇帝親征，心中一害怕，趕緊擒住宸濠，實在是一個反覆無常、精於權謀的小人，像王陽明這種小人遲早必會造反，皇上應當早日加以除去。

張忠散播的謠言，簡直是一派胡言，但是，這一套謊言還有不少人相信，有些嫉妒王陽明的人和一些好事之徒幫忙添了許多佐證，例如：

——王陽明被皇上貶到龍場驛，受了三年活罪，心懷怨恨，伺機報復。

——皇上修建豹房，沈迷享樂，多次爆發民變，王陽明是個有爲的讀書人，存心趕走昏君另立寧王宸濠。

這二個理由都編製得合情入理，張忠另有一種說法更能打動人心：『你們看王陽明肺病纏身，弱不禁風，憑他那文縐縐的模樣，如何能在兩個月之中消滅宸濠，可想而知，窩裡反嘛！』張忠當然不會老實說出，別看王陽明一派斯文，騎馬射箭還眞有一套哩。

這一波一波的謠言，自然最後傳入王陽明耳朵之中，任憑他修養再出色，也不免氣惱異常，正好這時王陽明奉召前往晉見明武宗，他想，見面總是會說清楚。不料，張忠等人擔心王陽明的口才一流，與武宗一碰面，極可能解釋清楚，所以先下手爲強，下了一道皇帝的假聖旨，命令王陽明到蕪湖就回去，不用覲見皇帝了。

王陽明是個聰明人，馬上就知道一定又是張忠從中作梗，這一時刻，不但見不到皇帝，王陽明知道自己可能會遭到陷害，他一氣之下，把烏紗帽一甩，脫下朝廷官服，換上野服芒鞋，避入九華山之中，這時王陽明的心情，眞是惡劣到了極點。

王陽明在一個草庵裡住下來，苦苦思索最近發生的事，他覺得自己太傻，太不懂得保護自己，皇帝要放掉宸濠，便乖乖把宸濠放入鄱陽湖之中，不愁沒有高官厚祿，但是，他能這樣做嗎？

王陽明記得他與張永說的每一個字：『江西老百姓，長年以來遭到宸濠的暴政，早已困苦不堪，況且大亂之後，又逢旱災，老百姓有衣無食，有食無衣，如果把宸濠放回鄱陽湖，宸濠和部下一定逃匿山谷，聚衆爲亂，以前幫助宸濠的土匪，也一定加入，一齊造反，實非國家百姓之福也。』

王陽明不能了解，堂堂一國之君，如何把捉放宸濠，看成是辦家家酒的兒戲，這可不像皇帝玩賣布遊戲，遊戲結束之後，布匹一收就沒事了，宸濠不是布匹，宸濠是老虎，放虎歸山，這，像話嗎？

王陽明的內心，實在是非常痛苦，當時除了如張忠般小人造謠，平日看起來頗爲君子的朋友，也幫忙散播謠言。有些其實非常了解王陽明的爲人，但是這幾年王陽明的學問小有名氣，不少人在暗暗嫉妒著，聽到了王陽明出事，心中竊竊自喜，情不自禁的開始興奮，開始像小鳥一般，啄啄啄到處吱吱喳喳，說王陽明的壞話，在詆毀王陽明之中，找到了內心的平衡。

王陽明修養再好，境界再高，也難以承受這般的冤屈，午夜夢迴，他睡不著覺，他乾脆坐了起來，靜聽窗外的松濤盈耳，他抱著頭，十分痛苦道：『我一身遭到謠言毀謗，不如死掉算了。』後來，他又親口對一個門人說：『當時如果地上有一個洞，可以讓我背著我父親逃走，我一定這麼做。』假如不是顧念父親，他眞想一死了之。

可是，如果自己眞的就此死去，就能還自己的清白嗎？就對得起國家社會嗎？王陽明迷惘了。

閱讀心得

【第942篇】

活捉宸濠的鬧劇。

王陽明由於得罪了太監張忠、許泰，雖然大敗宸濠，卻落得避入九華山。曾經入過監獄、挨過廷杖、遭過貶謫、逃過暗算、躲過瘴癘的王陽明，這次有撐不下去的感覺。

他掩面哽咽：『我到處遭到痛罵，一身讒謗，眞想以死解脫。』

王陽明最疼惜的學生徐愛一步向前，跪在地上，輕輕撫著王陽明的手，緩緩的說：『老師，這就是你常說的致良知啊！』

徐愛的話，觸動了王陽明的靈魂，他抬起頭來，與徐愛四目相望，兩人眼中都泛著淚光，在輝映的淚水之中，師生間產生了難以言喻的共鳴。王陽明感激的拍拍徐愛的手，是的，任誰都有支持不下去的時候，都需要周圍的關愛與鼓勵，即使光輝奪目的王陽明也不例外。

王陽明又開始精神抖擻了，又拿出當年在龍場驛愈挫愈勇的勁兒，與門人高談闊論致良知，尤其是遭逢了如此大的冤屈，他更加體會到，想要致良知，眞得付出不少的代價。

某日，他與門人于中道：『每個人胸中都有一個聖人，因自信不足，湮沒不見，你瞧，你胸中就有一個聖人。』

他這話可把于中嚇住了，于中連忙站起來，連連推謝：『不敢當，學生愧不敢當。』

王陽明笑道：『良知是每個人都有的，你不必過謙，良知在你，隨便怎樣，也不會泯滅，譬如盜賊，自己也知道行爲不當，你喚他爲盜賊，他還忸怩不安哩。』

于中說：『我懂了，譬如浮雲蔽日，日何嘗遺失了？』

王陽明誇獎道：『嗯，于中聰明，他人見不及此。』

另外一方面，張忠與許泰把王陽明逼到了九華山，卻不滿足，害人的人永遠更沒有安全感，因此，他們又向明武宗進讒言：『王陽明這一個跋扈的臣子，心懷叵測，將來必造反。』

『哦？』明武宗問：『怎麼證明？』

『很簡單啊，召他來，他必不來。』張忠回答。

在張忠的想法裡，現在朝廷上下都在盛傳，王陽明與宸濠是一夥的，假如此時前來，豈不如當年岳飛一般前來送死？

不料，王陽明坦坦蕩蕩，武宗召他，他立刻前來，明武宗倒非一個殘暴的皇帝，他笑咪咪說：『王守仁是道士嘛，召他來就馬上來，哪兒會造反？』

武宗雖非暴君，實在是一個昏君，宸濠明明是王陽明活捉的，他偏要搶這個鋒頭，王陽明把宸濠交給了張永，張永在南京城外設了一個大廣場，上演生擒宸濠的節目。

明武宗嚮往英雄，不耐煩當皇帝，自封『威武大將軍朱壽』，因此眾人投其所好，在廣場前面，飄起威武大將軍漂亮鮮艷的大旗，四周布滿了軍隊，個個怒馬鮮衣，神氣漂亮，五色旌旗，刀光閃爍，明武宗最鍾情這一套中看不中用的把戲。一會兒，男主角上場了，明武宗騎著一匹高大的白色駿馬，顧盼自得的駛入廣場，他眞以爲自己是凱旋歸來的大英雄。

按照張永原先安排的戲碼，該是讓宸濠脫去桎梏，奔跑於場中，明武宗像梁紅玉一般親自擊鼓，再親手抓住宸濠，然後江彬向前行禮：『恭請威武大將軍，大奮神威，生擒叛逆。』這時掌聲雷動，高奏凱歌，進入南京城。

可惜，男配角宸濠演出不佳，他原先被關在一個獸籠之中，上面蓋著一塊青布。

打開青布，把宸濠放了出來，他應當滿場奔跑、撒野，讓明武宗過一過官兵捉強盜的癮。

不料，宸濠被兵士自籠中提出來後，蹲在地上，瑟瑟發抖，蒙著眼睛，彷彿要哭出來。

這時，伐鼓鳴金，聲動天地，扮演威武大將軍朱壽的明武宗正在起勁的擂著大鼓。

宸濠自知死期已近，後悔莫及，乾脆一屁股坐在地上，開始大哭特哭。

『快跑啊！』一個士兵發急了，站起來踹著宸濠的屁股：『別賴在這兒裝死啊。』

宸濠也聽說了，他應當滿場奔跑，跑得上氣不接下氣，然後筋疲力竭，讓皇帝活捉好過癮，這場死刑前的遊戲，也許正對明武宗的胃口，他老兄馬上就要去閻王爺那兒報到的，實在打不起精神賣力演出。

小兵又踢了宸濠一腳，他還是癱在那兒，一動也不動。

『眞是掃興！』明武宗覺得不好玩，一賭氣，放下鼓槌就走了，江彬無奈，只好把這個宸濠橫拖直拽的弄到了明武宗跟前，結束了這一場鬧劇。

據說，當時的南京城，流行著一首打油詩諷刺：

國事看同兒戲場，修心太甚幾成狂，

縱囚擂鼓誇威武，笑柄貽人足鬨堂。

閱讀心得

【第943篇】

正德皇帝的釣魚遊戲。

明武宗終於『擒獲叛逆，活捉宸濠』，自南京回師北京。到了鎮江，已經退休的大學士楊一清接駕，住了整整三天，招待得十分豐盛，根據《武宗外紀》記載：『是日一清有所獻，上大悅。』此一獻，非金珠玉帛，乃是貌美女子。總之，大家都知道，當今萬歲爺最歡喜這個調調兒，後世只曉得梅龍鎮上的李鳳姐，殊不知張鳳姐、王鳳姐不可勝數。但是，美人兒的皮相之美，乍看之下，驚艷異常，相處了一兩天，這位正德皇帝又厭了、倦了、膩了。一個美女，若能寵三天，就算是難能可貴的紀錄了。

於是，楊一清又趕緊絞腦汁，看看有什麼新鮮事兒讓皇帝解解悶。馳馬、逐兔這一套老把戲玩得太多了，不如動極思靜，何妨垂釣。

楊一清一提出這個建議，酷愛新鮮的明武宗立刻拍手叫好。既然是萬歲爺想要享受垂釣之樂，可不能讓他掃興，因此，楊一清急忙派人在潭中放置了大量的錦鯉，錦鯉多得擠來擠去。

這天天氣極熱，武宗快馬奔馳，急著趕去釣魚，他的個性一向就是如此，急、急、急，毛躁、不耐煩，但是任何東西到手，沒多久馬上就興趣索然。這一會兒他急著垂釣之樂，一刻也不能忍耐，到了目的地，早已全身濕透，豆大的汗珠一顆顆迸落地上，他氣喘吁吁，兩腿發軟，簡直站不住，左右的人前來攙扶，一個說：『今兒個天氣太熱了，萬歲爺下回再來吧。』

另一個則勸說：『萬歲爺今天騎馬太累了。』

『誰說我累，我精神好得很。』武宗的性格最愛逞強，很容易被激怒，他氣吁吁的說：『待會兒，我要一個人划船，你們誰也不許跟。』

一聽這話，衆人都呆了，不過，誰也不敢再開口，因爲說了也是白說。

楊一清歎口氣道：『幸而今日風和日麗，積水潭平靜無波。』

明武宗從小任性，誰也攔他不住，只好任著他一人划著小船，直往潭心。左右划的船稍一靠近，武宗便大喊：『離我遠一些。』因此，誰也不敢再靠近武宗。

武宗第一次划小舟，而且自己一個人划，雖然好玩，到底生疏，顯得十分笨拙，事實上，他是一個笨手笨腳、極不靈光，卻又凡事想要自己嘗試的人。當然，皇帝當久了，任何事，包括穿衣吃飯，樣樣都有人伺候，也是一件煩人討厭的事兒。

武宗覺得自己像是一個名角，眾人在看他表演，就像他演賣布，或者扮演大將軍朱壽一般，所以，他慢條斯理慢慢划，裝著一副很熟練的樣子，並且故意轉著腦袋，似乎在欣賞兩岸風景。他緩緩的打槳到了潭中心，停下船來，將釣竿往水中一沉，仰著頭，靜待魚兒上鉤，他想自己這

神情，就像詩人李白所寫的『閒來垂釣碧溪上』，一定看起來十分優閒愜意，嗯，他歡喜。

為了迎接萬歲爺駕到，積水潭中早已放滿了錦鯉，而整個潭中，就只有明武宗這一個寶貝花花公子在垂釣，很自然的，一會兒工夫，釣絲上的浮標晃動，武宗好得意，將釣竿使勁朝上一提，哇，一尾一尺多長的金色鯉魚，閃爍生輝，這下子可露臉了，明武宗想炫耀炫耀，又怕後頭隨從看不清楚，於是，邊笑邊喘，忘情的把釣著的魚四下晃動著，沒有料到，這魚兒還相當沉重，跳躍個不停，掙扎著想脫離釣鉤。武宗缺乏控制魚的經驗，這一顛一簸，小船搖晃得厲害。武宗慌了，努力想把船穩住，他又不曉得方法，愈扶愈搖，左擺右晃，最後，哇，不得了，皇帝撲通一聲掉下水。

這可把眾人給嚇慌了，也不管是不是會游泳，一個一個跳入水中，並且驚慌的大叫：『快快，快救駕。』

沒多久，這個寶貝皇帝給撈了上來，已經面無人色，太監把武宗按倒在地，輕壓他的背部，咕嚕咕嚕吐出許多夾著泥沙的髒水，然後又是灌薑湯、又是嚼人參片，把武宗給救了回來。

武宗悠悠然睜開眼睛，卻還嘴硬：『朕方才釣到一尾大魚，你們看到了沒有？』

武宗雖然嘴巴不服輸，一張臉卻像白紙一般，白得嚇人。

過了三天，車駕回返京師。文武百官迎於正陽橋南，京軍身著耀目的鎧甲列於道路兩旁。抓來的宸濠之亂的俘虜與家人，也跪在兩旁，活人頭頂上插著白紙標，寫明姓名，死人則頭顱掛在竹竿上，白色飄帶迎風飛揚。武宗身著戎服立於正陽門下，一眼望去，舉目皆白，白得恐怖、陰森、不祥，在場的人都有一種詭異的感受。

兩天之後，大祀南郊，就在明武宗捧爵（舉起酒杯）致敬時，突然之間，他口中噴血，昏倒在地，眾人七手八腳抬入豹房，拖了幾個月，武宗駕崩，不過只有三十一歲。

佛家講因果報應，雖不可盡信，但是行善積德會使內心輕鬆愉快，有利於健康，而享樂縱慾容易使人身心疲憊，明武宗縱情聲色，造成了他自己的短命。

閱讀心得

【第944篇】

楊廷和的小心眼。

正德皇帝釣魚翻了船，元氣大傷，沒多久，一命嗚呼，年僅三十一歲。在中國歷史上，凡是放縱任性胡爲的皇帝，幾乎都是短命的，就像孔夫子所說的『自作孽不可活』。

正德皇帝沒有子嗣，一旦駕崩，無人繼任。大學士楊廷和與張太后商量，決定由皇帝嫡堂弟，湖北安陸興獻王之子，十五歲的朱厚熜入承大統。

在這段過渡期間，楊廷和誅除江彬、張忠、許泰，人心大快。同時，把明武宗正德皇帝生前一切荒誕不經的玩意兒如豹房之類，完全革除。在攝政的三十七天之中，將明武宗的亂朝來了一個徹底的收拾，處理得人心大快。

正德十六年四月，興獻王世子朱厚熜入京師，繼承皇位，是為明世宗。以明年為嘉靖元年。

世宗即位不久，立刻下詔王陽明入京受賞，這件事讓楊廷和心中頗為不舒坦。

楊廷和是成化十四年進士，極有才氣，人也長得漂亮，風度翩翩，辦事能幹，對於掌故、邊境之事都有一套。或許是『文人相輕，自古皆

然』，樣樣優秀的楊廷和，一聽到王陽明，心中就湧出酸酸的味兒。

王陽明有一件事，得罪了楊廷和。但是，心中坦蕩蕩的王陽明一點兒也沒有感覺。

王陽明的崛起，不能不感謝王瓊的栽培提拔。事實上也是兵部尚書王瓊事先的安排布置，才使得王陽明能夠順利討平宸濠之亂。所以，王陽明每次上疏，總是飲水思源，對王瓊多加揄揚。

如此一來，身爲宰輔的楊廷和就吃味了。尤其王瓊在正德皇帝時代，每次都由皇帝直接交辦命令，把內閣擺在一旁，明朝內閣大學士的權是很大的，因此之故，楊廷和對王瓊早就不滿，也把王陽明歸爲王瓊的人，連帶厭惡。再加上，王陽明聲譽日隆，允文允武，楊廷和頗有不勝嫉妒之感。

這時，朝中議論紛紛，個個都說，王陽明此次前來必獲重用，也有許多未見過王陽明者，急著想一見王陽明，瞻仰他出類拔萃的風采。

楊廷和對自己的才、自己的貌都有相當強烈的信心，不過，他也暗暗擔心，王陽明恐將為世宗所重用。所以，楊廷和先下手為強，以『國哀未畢，資費浩繁，不宜行宴賞之事』為理由，說動了明世宗，讓王陽明暫緩入京，並且升為南京兵部尚書，意思是王陽明不用到京城來了。

王陽明也不是頭一遭碰到這樣的事，反正，奪目的光輝讓他四處受難，他上了一道『乞便道歸省疏』，請求順便道歸鄉省親，明世宗答應了，這一年，王陽明五十歲。

楊廷和雖然阻止了王陽明入京，明世宗仍封王陽明爲『新建伯』，表彰他的軍事貢獻，並且派人攜帶白金，賜以羊酒送給王陽明的父親王華。當朝廷特使到來之時，恰好王陽明回到了家鄉餘姚，正在爲父親王華辦壽宴，一時之間，親朋隨歡樂高漲到了極點，把王氏父子給捧上了天。

但是，閱歷多矣的王華卻有怨言，他語重心長道：『宸濠之亂初起，大家都以爲你一定會死，沒想到你竟然不死。宸濠之亂結果很快平定，沒想到事情一直不得平，你受盡冤屈，如今，天開日月，遂顯忠良，濫冒封賞，你我父子能相見一堂，但是我擔心啊，盛者衰之始，福者禍之機。現在如此圓滿，雖然我覺得幸福，可又充滿了恐懼。』

王華的話，正是王陽明心中想說的話，人生之事，禍福相倚，他有無盡的感慨啊。

王陽明雖然受到應當有的封賞，但是，跟著他出生入死的官吏將士卻沒有得到獎賞，王陽明是個最爲體恤下屬的人，他爭了又爭，楊廷和硬是從中阻撓到底！

王陽明沒有辦法可想，王瓊此時因與楊廷和結怨，被言官攻擊，關在都察院，當然更幫不了王陽明。

最後，王陽明只好上疏，辭謝自己的封賞，他說：『罪莫大於掩人之善。』他不能把底下人的功勞完全歸到自己身上，因此，乾脆都不要了。

這個楊廷和也妙，他看出來王陽明是一個爲屬下著想的人，他就偏偏不讓王陽明如願，所以，他把王陽明請辭的事解釋爲：『王陽明對於朝廷的爵賞不滿意。』於是，將王陽明的曾祖槐里公、祖父竹軒公、父親龍山公統統封爲新建伯，王陽明再辭，朝廷依然不爲所動。

王陽明好難過，他從來不在乎自己的封賞，他在乎跟著他的部屬的封賞，他也深深憂心：『自今而後，雖有大難，忠義之士，誰肯捨身爲國！』

楊廷和非但在公事上阻撓王陽明，同時用『僞學』、『標新立異』攻擊王陽明的『致良知』。王陽明的學生陸澄看不下去，挺身要爲師門辯護，被王陽明給勸阻了。

王陽明對陸澄說：『古人說過，受到誹謗，不用自辯，誹謗自然就會停止了，這正是我們學習動心忍性的好時光。』

王陽明始終沒有站出來自辯，他也用不著站出來自辯。

閱讀心得

【第945篇】

陽明思想東傳日本。

在中國古代的官場上，一向都是『朝中有人好作官』，王瓊被鬥倒了，內閣大學士楊廷和把王陽明看成眼中釘，王陽明只好閒居在家鄉餘姚。

從明世宗嘉靖元年到嘉靖五年，整整六年，王陽明沒有被朝廷召用。但是，他也不得清閒，四方湧來的學生絡繹不絕，門人並於越城郭部門內建立了『陽明書院』，經常有三百多人圍攏環坐，聆聽王陽明教誨。

朝中以楊廷和爲首的臣子，繼續攻訐王陽明的『僞學』。王陽明也繼續宣揚『致良知』，他並不是否定知識與才能，他只是特別在意『一顆善良的心』，特別強調『誠意與盡心』，他認爲『一個君子事奉雙親，以求盡吾心之孝，並不是要表現自己孝順，一個君子對國家忠心，以求盡吾心之忠，並不是故意要顯現自己有多忠心。盡心之後，也許富貴也許貧賤，君子都能怡然自得，一般人以爲君子有多了不起，其實，他不過是求心安罷了。

其實，王陽明的學說就是這麼簡簡單單、誠誠懇懇，雖然如此平易，眞要做到，也不容易啊。

朝廷不願起用王陽明，可是，當碰到棘手困難之時，又想用王陽明出

王學
心即理
致良知
知行合一

面解決。所以，嘉靖五年，廣西田州的土族岑猛作亂，繼而八寨，斷藤峽蠻賊作亂，朝中束手無策之時，也不管王陽明肺病纏身，咳嗽氣喘，照樣賦予重任。而王陽明這位『致良知』的忠臣，依然『不敢愛身』拖著病體，漂漂亮亮的把亂事平定，他永遠是英雄肝膽，菩薩心腸。

但是，亂事雖然平定，王陽明的咯血老毛病卻犯了，每每喉嚨一甜，接著吐出大量鮮血。王陽明自知病危，連番上疏請求歸去，朝廷就是不允，最後，他只好不待朝廷批示，啓程東歸。

當他經過廣西烏蠻灘的馬伏波廟，想起了年少時對東漢大將軍馬援（馬伏波）的崇拜，他扶病入廟。

想王陽明十五歲之時，曾經瞞著父親，一個人跑到居庸關外，在塞外騎馬遊歷了整整一個多月。回來之後，天天嚮往馬革裹屍、老當益壯的馬援。有天夜晚，夢到赴伏波將軍廟燒香，醒來之後，在枕頭上寫了一首詩紀念。

如今，他病顫顫的站在伏波廟前，心中波濤洶湧，他想起少年時代如何崇拜馬援，想起這一生顛沛流離，打過宸濠、打過叛軍、打過山賊，打的都是大仗，雖然辛苦萬狀，總是理想的實踐，王陽明思潮澎湃，寫下一首詩：『四十年前夢裡詩，此行天定豈人爲？』……

隱隱之中，王陽明覺得壯志已酬，對他所崇拜的馬援也有了一番交代，他又開始劇烈的咳嗽。到了贛南，南安推官周積趕來問安。王陽明仍打起精神問周積：『近來學問可有進展？』

周積見老師病體消瘦，一雙腿彷彿一截竹竿，忍不住背過身去拭眼淚，王陽明平靜的說：『生死定數，無須悲戚。』

午後，小船繼續前駛，到了晚上，停泊在一小鎮，王陽明問：『這是什麼地方？』

書僮回答：『青龍舖。』

第二天清晨，王陽明詢問周積：『還有多久到南康？』話沒說完，喘個不停，他氣息微弱道：『我將去了。』

周積含著眼淚問：『老師有什麼遺囑？』王陽明指著心道：『此心光明，亦復何言，只是平生學問方才見得幾分，未能與同學們共成就，實在是相當大的遺恨。』

話沒說完，瞑目而逝，享年不過五十七歲。他的棺柩所到之處，男女老幼，個個換上白衣相送。另一方面，當王陽明的死訊傳到京師，還是有小人上書明世宗『追奪封爵，禁邪說以正人心』。明世宗也就接納了建議，下詔『不予恤典，禁講僞學』把王陽明斥爲僞學，所謂『蓋棺論定』，蓋棺往往不能論定，但是，明世宗的舉措，王陽明若是地下有知，也見怪不怪的指著心道：『此心光明，亦復何言。』

次年，王陽明安葬餘姚，發引那天，遠近前來的門人多達千人，同時，王陽明被各地人民奉爲神明，早晚祭拜。

陽明學說影響晚明、影響清朝，一直到今天，先總統蔣公更是陽明信徒，把草山改名陽明山。

陽明學說尤其影響日本，早在明武宗正德六年，日本八十七歲高僧了庵和尚出使明朝，陽明便曾接見，迄今日本仍保存陽明手寫〈送日本正使了庵和尚歸國序〉一文。

陽明學說正式傳入日本，該是德川家康成立幕府之時，陽明著作風行日本書肆，不但對日本德川幕府三百年學術文化產生影響，且鼓舞了日後的明治維新，對伊藤博文啓迪頗多。

甚且日本海軍大將東鄉平一郎，他隨身攜帶一顆印章，上面刻著『一生低首拜陽明』，意思是說他一生崇拜王陽明。

王陽明是偉大的思想家，也是傑出的軍事家，他，是中國人的光榮！

閱讀心得

歷代・西元對照表

朝　　代	起迄時間
五帝	西元前2698年～西元前2184年
夏	西元前2183年～西元前1752年
商	西元前1751年～西元前1123年
西周	西元前1122年～西元前 771年
春秋戰國(東周)	西元前 770年～西元前 222年
秦	西元前 221年～西元前 207年
西漢	西元前 206年～西元 8年
新	西元 9年～西元 24年
東漢	西元 25年～西元 219年
魏(三國)	西元 220年～西元 264元
晉	西元 265年～西元 419年
南北朝	西元 420年～西元 588年
隋	西元 589年～西元 617年
唐	西元 618年～西元 906年
五代	西元 907年～西元 959年
北宋	西元 960年～西元 1126年
南宋	西元 1127年～西元 1276年
元	西元 1277年～西元 1367年
明	西元 1368年～西元 1643年
清	西元 1644年～西元 1911年
中華民國	西元 1912年

國家圖書館出版品預行編目資料

全新吳姐姐講歷史故事. 44. 明代/吳涵碧 著.
--初版.--臺北市；皇冠，1999〔民88〕
面；公分（皇冠叢書；第2941種）
ISBN 978-957-33-1641-1 （平裝）
1. 中國－歷史－明(1368－1644)
2. 中國－歷史

610.9 88007060

皇冠叢書第2941種
第四十四集【明代】
全新吳姐姐講歷史故事〔注音本〕

作　　者—吳涵碧
繪　　圖—劉建志
發 行 人—平雲
出版發行—皇冠文化出版有限公司
台北市敦化北路120巷50號
電話◎02-27168888
郵撥帳號◎15261516號
皇冠出版社(香港)有限公司
香港銅鑼灣道180號百樂商業中心
19字樓1903室
電話◎2529-1778　傳真◎2527-0904
印　　務—林佳燕
校　　對—鮑秀珍・金文蕙・高嘉婕・鄭文琦
著作完成日期—1998年12月
香港發行日期—1999年07月09日
初版一刷日期—1995年07月15日
初版二十七刷日期—2021年05月
法律顧問—王惠光律師

讀者服務傳真專線◎02-27150507
電腦編號◎350044
ISBN◎978-957-33-1641-1
Printed in Taiwan
本書定價◎新台幣150元/港幣45元